D1253935

DONOGOO

JULES ROMAINS
de l'Académie française

Donogoo

COMÉDIE
EN 2 PARTIES
ET 23 TABLEAUX

GALLIMARD

Le texte de la présente édition comporte une division de la pièce en deux parties, avec un seul entracte qui se situe après le treizième tableau, ainsi qu'il a été procédé lors de la reprise à la Comédie-Française.

Pour les représentations, il sera loisible de multiplier par un coefficient convenable les valeurs monétaires en francs qui figurent dans le texte, et qui sont celles de la création (1930). C'est ce qui a été fait au moment où la pièce a été reprise à la Comédie-Française en 1951. (A titre d'exemple, le capital de la Donogoo-Tonka passait de 75 millions à un milliard et demi, et les actions de 500 à 10 000 F.) A noter toutefois que le franc 1963 permet d'utiliser sans presque les modifier, pour des représentations éventuelles, les chiffres de 1930.

DONOGOO *a été représenté pour la première fois le 25 octobre 1930, sur la scène du* Théâtre Pigalle, *avec la mise en scène de* Louis Jouvet, *sous la direction de* Philippe de Rothschild, Georges Fouilhoux *étant directeur technique de la scène, et dans les décors de* Paul Colin.

Donogoo *a été inscrit au répertoire de la* Comédie-Française *le 9 novembre 1951,* M. Pierre-Aimé Touchard *étant administrateur général ; avec la mise en scène de* Jean Meyer, Bernard Roussillon *étant directeur général de la scène, et dans les décors de* Georges Wakhevitch.

LISTE DES PERSONNAGES

	Théâtre Pigalle 1930	*Comédie-Française 1951*
	MM.	MM.
LAMENDIN	Louvigny	Jean Meyer
LE TROUHADEC	Jean d'Yd	Jean Debucourt
MARGAJAT	Lurville	Louis Seigner
MIGUEL RUFISQUE	Géo Leclercq	Henri Rollan
LE PETIT BRUN	Le Vigan	Julien Bertheau

	MM.	MM.
BÉNIN	Villé	Michel Galabru
JOSEPH	Géo Leclercq	Maurice Porterat
MATHIEU, le chef	Alexandre Fabry	Jacques Eyser
LE DIRECTEUR DE LA PREMIÈRE BANQUE	Debray	Jacques Servière
LE GARÇON DU CAFÉ BIARD	Saint-Isles	Georges Baconnet
JORIS, PREMIER HOLLANDAIS	Henry Gary	Louis Eymond
LESUEUR	Guy Favières	Jean Piat
BROUDIER	Dapoigny	Asse
PREMIER ACTIONNAIRE	Georges Six	Georges Vitray
PREMIER COLONIAL	Louis Tunc	Paul-Emile Deiber
DEUXIÈME COLONIAL	Boudréau	Jean-Louis Jemma
TROISIÈME COLONIAL	Ougier	Gilbert Guiraud
LE GUIDE COOK	Matesco	Teddy Bilis
PREMIER AMÉRICAIN	Marc Lomon	Mollien
DEUXIÈME AMÉRICAIN	Georges Jamin	Jean-Pierre Jorris
PREMIER NOUVEAU	Marc Lomon	Charles Millot
DEUXIÈME HOLLANDAIS	Castel	Dannoville
L'EMPLOYÉ DE L'AGENCE MEYER-KOHN	Marzal	Marco-Béhar
LE GRAND ET GRAS	Désarts	Jean-Louis Le Goff
CLIPOTEAUX	Marcilly	Drancourt
PREMIER PIONNIER	Kokatchevitch	Vacchia
DEUXIÈME PIONNIER (le malade du paquebot)	Stacquet	Teddy Bilis
LE CLIENT ALLEMAND DE L'AGENCE MEYER-KOHN	Désarts	Boyenval
LE BUVETIER DE LA VILLETTE	Castel	Jean-Louis Le Goff
UN STEWARD	Fastré	Tony Jacquot
LE PATRON DU CAFÉ BIARD	Stacquet	Marco-Béhar
LE JEUNE GUIDE	Emile Rosen	Jean-Paul Roussillon

	Mmes	Mmes
SOPHIE	Marie Laure	Suzanne Nivette
LA FILLE DE MARSEILLE	X...	Jacqueline Jefford
LA PASSANTE DE LA MOSQUÉE	X...	Nicole Chollet
LÉÏLA	X...	Goldfarb

Aventuriers, fondateurs et *habitants* de Donogoo *(parmi lesquels se retrouvent plusieurs des personnages ci-dessus énumérés* : les Coloniaux, les Américains, les Hollandais, etc...), *crieur de journaux, pionniers de la garde personnelle de Lamendin, loueur d'oreillers-couvertures, un guide indien, financiers, maîtres d'hôtel, garçons* et *sommeliers, journalistes, photographes, deux grooms nègres, garçons de bord,* etc.

Ces personnages ont été interprétés à la Comédie-Française par MM. Paul-Emile Deiber, Jean-Louis Jemma, Gilbert Guiraud, Mollien, Jean-Pierre Jorris, Dannoville, Jean-Louis Le Goff, James, etc.

Filles du convoi.

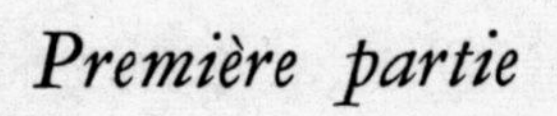
Première partie

PREMIER TABLEAU

LE PONT DE LA MOSELLE

Le pont de la Moselle en plein ciel avec son horloge.

Bénin et Lamendin, qui ont monté à la rencontre l'un de l'autre, sans se voir, se trouvent nez à nez tout à coup.

SCÈNE UNIQUE

BÉNIN, LAMENDIN,
puis LE TENANCIER DE LA BUVETTE

BÉNIN, *brusque, joyeux.*

Sérieusement !

LAMENDIN, *gêné, ambigu.*

Ah ! Tiens !

Ils se serrent la main.

BÉNIN, *très animé.*

Ne pas s'être vus depuis six mois et se rencontrer au sommet du pont de la Moselle ! Tous les deux dans le ciel, mon vieux Lamendin, debout sur une horloge. Car nous sommes juste au-dessus de l'horloge. Pour les gens d'en bas, quelle prodigieuse pendule nous devons faire ! L'heure de Paris naît sous nos pieds, comme une source. Ah ! sourcier de mon cœur ! (*Il le prend par les épaules et le secoue.*) Mais quel vent t'a porté jusqu'ici ? Tu n'es pas l'homme de ces quartiers. Aux dernières nouvelles, tu habitais cette lugubre plaine asphaltée qu'ils appellent par dérision Montparnasse. Serais-tu maintenant marinier du port de la Villette ? charbonnier des chantiers Bernot dont nous voyons s'effondrer là-bas les noires collines ? ou tout simplement souteneur, rue de Flandre ?

LAMENDIN, *sans nul entrain.*

Je suis content de te voir, mon vieux.

BÉNIN, *vexé.*

Ah ! On le dirait ! Si débordant de contentement que tu vas nous faire remarquer. Je t'assure que tu ne me dois pas d'argent. Tu as peut-être oublié, mais tu m'as rendu les trois cents francs que je t'avais prêtés pour l'achat des œuvres complètes de l'abbé Bremond. (*Il lève les bras.*) S'endetter pour ça ! Tu as le droit de me regarder en face.

LAMENDIN

Je te regarde.

BÉNIN

D'un œil piteux et fuyard. M'aurais-tu chipé ma maîtresse ? Bien qu'il lui arrive, la nuit, de rêver tout haut, elle n'a jamais encore prononcé ton nom. Mais tout est possible. Avoue, mon vieux ! Je ne suis jaloux qu'au niveau du sol. Au sommet de ce pont, lénifié par les odeurs de caroubes, d'abattoirs et d'usine à gaz que le vent m'apporte, je suis prêt à embrasser l'homme qui me fait cocu. Lamendin ! les pieds sur l'horloge municipale, je te pardonne.

LAMENDIN

Bénin, tu es très gentil. Mais ce n'est pas ça... (*Avec abattement.*) Non, rien de tout ça.

BÉNIN, *affectueux.*

Alors, qu'est-ce que c'est ?

LAMENDIN

Rien.

BÉNIN, *il le considère.*

Tu as maigri. Tu es décollé. D'abord, tu t'habilles très mal. (*Il tire sur le gilet de Lamendin.*) On dirait que tu cherches à te rendre intéressant. Ton gilet ressemble au fond de culotte d'un Arabe.

LAMENDIN

J'ai perdu huit kilos.

BÉNIN, *ému.*

Vrai ? (*Lamendin confirme de la tête.*) C'est donc grave ? (*Lamendin confirme encore.*) Une maladie ? (*Lamendin fait « non ».*) Le moral ? (*Lamendin hausse les épaules évasivement, Bénin se fâche.*) Enfin, vas-tu te décider ? Est-ce le physique ou le moral ?

LAMENDIN

Plutôt le moral.

BÉNIN

Ah ! ah ! Une grosse peine ? Une quantité de petites peines ?

LAMENDIN, *hésitant.*

Non.

BÉNIN, *qui se fâche.*

Alors, quoi ? bon Dieu !

LAMENDIN

C'est l'ensemble.

BÉNIN

Quel ensemble ?

LAMENDIN, *désignant son intérieur d'un petit geste circulaire.*

L'âme, en général, ne marche plus.

BÉNIN *va pour répondre, mais se retient, recule un peu, considère son ami, se gratte le menton.*

Oui. (*Changeant de ton.*) Tu as revu les copains ?

LAMENDIN

Non.

BÉNIN

Pas Lesueur ? Pas Broudier ?

LAMENDIN, *sinistre.*

Personne.

BÉNIN, *après un temps, plus bas.*

Dis donc, qu'est-ce que tu étais venu faire ici ? (*Lamendin, sans répondre, jette un coup d'œil vers le canal.*) Pourquoi regardes-tu le canal ?

LAMENDIN, *avec un lugubre sourire.*

Ce ne serait pas plus bête qu'autre chose.

BÉNIN, *sursautant.*

Non !... Non ? Mais, ah ça !... Mais...

Il saisit vigoureusement Lamendin par le bras.

LAMENDIN

En plein hiver, ce serait désagréable. Mais depuis quelques jours l'eau se maintient à la température de douze degrés centigrades.

BÉNIN, *faisant dégringoler à son ami la pente du pont.*

Toi, mon petit, tu vas descendre d'ici, et plus vite que ça. (*Ils arrivent sur le quai, l'un traînant l'autre. Il y a, sur le quai, une buvette en plein air avec une table de fer peint et deux chaises. Bénin, tandis qu'il assoit Lamendin sur une chaise, cogne violemment sur la table qui retentit. Puis il crie à pleine voix.*) Vite ! Vite ! Une bouteille de vin blanc ! Et du bouché ! C'est pour un homme que je viens de retirer du canal.

LE TENANCIER, *qui paraît précipitamment.*

Du canal ? (*Désignant Lamendin.*) Monsieur ?

BÉNIN

Oui. Vite ! Vite ! Débouchez-nous ça au quart de tour. Deux verres. Vite !

LE TENANCIER

Monsieur n'a pas l'air mouillé.

BÉNIN

C'est parce qu'il porte des vêtements imperméables. (*Il verse.*) Bon. Maintenant, laissez-nous. (*Il fait boire Lamendin et boit lui-même.*) C'est comme ça que tu veux te suicider ? (*Le Tenancier se retire.*) Petite crapule ! Dire que si je n'avais pas été là... (*Il boit.*) Heureusement que j'ai l'œil sur toute cette région. Mais pas au point de surveiller les ponts à toute heure de jour et de nuit. (*Faisant boire Lamendin.*) Ça, c'est l'œuvre du secours immédiat. Mais il va falloir te soigner. (*Une idée le saisit.*) Oh ! attends. (*Il se fouille.*) De toute façon, je t'y enverrai. (*Il exhibe un portefeuille horriblement bourré.*) Ma force, c'est d'avoir une documentation considérable... (*Il cherche dans ses papiers.*) constamment à jour... (*Il cherche.*) et des relations dans tous les milieux... (*Il a trouvé.*) Voilà ! (*Il brandit sous le nez de Lamendin un carton double.*) Lis-moi ça. (*Impérieux.*) Lis !

LAMENDIN, *lisant.*

« Avant de vous suicider, ne manquez pas de tourner cette page. »

BÉNIN

Alors, qu'est-ce que tu attends ? Tourne la page. (*L'autre ouvre mollement le carton.*) Lis, bougre d'andouille, lis...

LAMENDIN

« Le professeur Miguel Rufisque, commandeur

du Christ de Portugal, directeur de l'Institut de psychothérapie biométrique, 117, rue de Londres... »

BÉNIN, *soulignant.*

117, rue de Londres, métro Europe, tu changes à Villiers.

LAMENDIN, *continuant.*

« ... spécialiste du suicide, vous donnera en sept jours un amour violent de la vie. »

BÉNIN

Lis la note.

LAMENDIN

« *Nota bene.* — En cas d'échec du traitement et de suicide final du malade, le professeur-commandeur s'engage à verser une somme de cent mille francs à la veuve ou aux héritiers. »
Je n'ai ni veuve ni héritiers.

BÉNIN, *tandis qu'il écrit quelques mots sur une carte de visite.*

Ça ne fait rien. La clause ne joue jamais. Tu vas prendre ton métro séance tenante. Tu présenteras cette carte en demandant à passer tout de suite. Sans ça, tu moisirais jusqu'à demain matin.

Les salons d'attente sont absolument engorgés de mabouls, de vacillants, d'ahuris. Le professeur n'a rien à me refuser. (*Il cogne sur la table, y pose un billet, entraîne Lamendin.*) Et puis, viens. Je te mettrai moi-même dans le métro. C'est plus sûr.

Ils sortent.

DEUXIÈME TABLEAU

LE CABINET
DU PROFESSEUR RUFISQUE

Le cabinet de Miguel Rufisque, vaste et machiné. Appareils à cadrans gradués, cylindres enregistreurs, batteries de tubes reliés par des tortillons de fils, grands disques de verre avec un secteur d'argent et un secteur d'or, bobines d'induction, etc. Vers le milieu, un large fauteuil sur plate-forme, avec serre-tête, appuis-main, pédales de cuivre. Des fils et des tubulures souples partent du serre-tête, des appuis-main, etc., pour aboutir aux divers appareils enregistreurs. Un grand tableau noir, sur chevalet. Un petit groom nègre, vêtu de rouge, se tient près du tableau, ayant en main un chiffon et une sébile pleine de morceaux de craie. A droite, un vaste meuble, appliqué à la muraille et qui ressemble à un immense standard téléphonique. Un tabouret métallique est placé devant.

SCÈNE UNIQUE

MIGUEL RUFISQUE, LAMENDIN, LE GROOM,
L'APPAREIL A ORDONNANCES

MIGUEL RUFISQUE, *en habit, la cravate de commandeur du Christ de Portugal au cou, vif, aimable, la voix preste, ibérique et caressante, s'avance vers Lamendin, que le valet introduit, et lui prend les deux mains.*

Entrez, cher Monsieur, je vous prie. Il y a, je le présume, cent cinquante visiteurs avant vous dans mes quatre salons d'attente et plusieurs me sont recommandés par des personnalités considérables. (*Arrêtant un geste d'excuse de Lamendin.*) Mais un mot de mon ami Bénin sera toujours pour moi le Sésame. (*Il le fait asseoir sur un siège ordinaire.*) A l'époque où la psychothérapie biométrique ne rencontrait ici qu'un navrant scepticisme, M. Bénin a orienté vers moi ou, pour mieux dire, vers leur salut, d'influentes personnes malades qui, depuis, chaque matin bénissent mon nom. Quel homme séduisant, n'est-ce pas, et de la catégorie mentale la toute première ? Vous dirai-je qu'au milieu de ma vertigineuse occupation, assiégé que je suis par une humanité angoissée, il m'est charmant de tout interrompre pour parler un instant de lui ? Que fait-il ?

LAMENDIN

Il va bien.

MIGUEL RUFISQUE

A-t-il terminé ce poème de quarante-deux vers qu'il commença l'an dernier ? Pas encore ? C'est un sage. Il vit de peu. Qu'est-ce que l'or, que je remue à la pelle ? Rien. Vous-même, bien cher Monsieur, quels sont vos travaux ? Artiste, est-il vrai ? J'adore les artistes.

LAMENDIN, *modeste.*

Je suis dans les assurances, maintenant. Mais j'avais fait de l'architecture, au début. Je sortais des Beaux-Arts.

MIGUEL RUFISQUE

Vous avez renoncé ? Pourquoi ?

LAMENDIN

Les maisons que je voulais bâtir ne plaisaient pas aux clients, et celles qu'ils voulaient bâtir ne me plaisaient pas à moi.

MIGUEL RUFISQUE

Eternel calvaire des créateurs !

LAMENDIN

Alors j'ai changé pour la peinture.

MIGUEL RUFISQUE

Artiste peintre ! Ho ! Ho ! Vous avez exposé ?

LAMENDIN

Trois ans au Salon d'automne. Mais un jour on avait changé mes toiles de place, sans me le dire. J'ai cherché. Je n'ai jamais pu les reconnaître.

MIGUEL RUFISQUE

Qué vous dites ?

LAMENDIN

Je suis passé devant peut-être trois cents natures mortes et autant de paysages... qui étaient tous pareils. Je n'aurais pu retrouver là-dedans mes tableaux à moi que si j'avais eu la précaution de remarquer un défaut du cadre ou de mettre un signe au dos de la toile. (*Un temps.*) Déjà, ce soir-là, j'ai failli me suicider.

MIGUEL RUFISQUE, *dont l'attention devient soudain professionnelle.*

Ah ! ah ! Et depuis, vous avez failli de nouveau ?

LAMENDIN

Oui.

MIGUEL RUFISQUE

Il y a longtemps ?

LAMENDIN

Non. Ce matin.

MIGUEL RUFISQUE, *il observe Lamendin et commence à vérifier ses appareils.*

Nous allons voir cela, cher Monsieur. Levez-vous, je vous prie. (*Tout en faisant ses réglages.*) Psychothérapie veut dire : traitement de l'âme. Biométrique ? Pourquoi ce mot ? Qué veut dire ? Veut dire que moi ne fais pas raconter aux malades leurs petites histoires, que moi ne leur demande pas comment s'appelait leur oncle, ni s'ils ont eu jadis de mauvais manières avec leurs sœurs... Montez ici ! (*Il invite Lamendin à monter sur la plate-forme.*) Que moi ne les couche pas sur un divan comme ce cochon et charlatan de Freud... Asseyez-vous bien naturellement. (*Il l'installe dans le fauteuil, lui fixe les membres, la tête, règle des vis.*) Moi, j'ai inventé tous ces appareils. (*Il désigne l'ensemble de son cabinet.*) La plus grande dépense de génie dans le monde depuis un siècle. Quand vous voulez savoir combien de fièvre il a, le malade, est-ce que vous l'interrogez sur sa petite sœur ? Non. Vous lui enfoncez le thermomètre dans le derrière. Il a fallu tant de fois plus de génie pour inventer mes méthodes (*Il a tiré de sa poche un thermomètre médical.*) que ce thermomètre peut tenir de fois dans ces appareils. Ne bougez plus. Quand je dirai, vous fermerez les yeux, et les mesures s'écriront toutes seules. Je lirai sur mes appareils et je ferai mes calculs.

LAMENDIN

Est-ce que c'est douloureux ?

MIGUEL RUFISQUE

Rigoureusement insensible. Comme si l'on prenait votre photographie.

LAMENDIN

Cette espèce de casque me serre un peu. (*Timidement.*) Ça ne risque pas de me faire tomber les cheveux ? J'ai déjà tendance à les perdre.

MIGUEL RUFISQUE

Aucune crainte.

LAMENDIN, *inquiet.*

Pourtant vous allez bien faire passer quelque chose dans tous ces tubes, dans tous ces fils ? Des courants ?

MIGUEL RUFISQUE

Non. Vos pensées.

LAMENDIN, *défensif.*

Mes pensées ?

MIGUEL RUFISQUE

Oui, toutes. Même les plus fugitives, même les plus secrètes. Vous avez des pensées dans toute votre personne — aussi sans le savoir, hé ! Mes appareils vont les prendre où elles sont. Il n'importe. Dans la tête, dans le cœur...

LAMENDIN

Dans les pieds ?

MIGUEL RUFISQUE

Dans les pieds ; dans le bas-ventre, pourquoi non ? Et vos pensées vont venir faire bouger les aiguilles sur mes cadrans. Remarquez, je vous donne l'explication grossière, imagée. La chose est bien plus scientifique et abstraite.

LAMENDIN

Mais si je ne veux pas laisser prendre mes pensées ? Si je m'arrange pour ne penser à rien ?

MIGUEL RUFISQUE

Au contraire, j'aime mieux.

LAMENDIN

Eh bien, Monsieur, pour être franc, je n'y crois pas à votre système.

MIGUEL RUFISQUE, *rajustant les contacts entre le corps de Lamendin et le fauteuil.*

Cela ne fait rien, pourvu que vous ne desserriez pas les contacts en remuant. Voyons, restez bien. Fermez les yeux.

LAMENDIN

Alors, Monsieur, en admettant que ça soit vrai, ça m'ennuie.

MIGUEL RUFISQUE

Qué ?

LAMENDIN

Que vous sachiez mes pensées.

MIGUEL RUFISQUE, *très vif.*

Mais je n'ai pas besoin de savoir vos pensées. Comprenez, moi, je me moque de vos pensées. Je lis les chiffres sur mes cadrans et je fais mes calculs. Tout est algèbre ! Je ne vois que mes équations. Je calcule au tableau, grâce à ma prodigieuse vitesse mathématique. Et quand j'ai votre *P* zéro...

LAMENDIN

Mon quoi ?

MIGUEL RUFISQUE, *agacé.*

Ne cherchez pas à comprendre. Oh ! qué vous êtes un malade difficile ! J'ai cent cinquante clients qui attendent, n'oubliez pas... Quand j'ai votre *P* zéro, vous allez vous asseoir là ; je place les fiches à l'endroit voulu, et l'Appareil lui-même vous dicte l'ordonnance pour votre cas. (*D'une voix que l'impatience rend aiguë.*) Tout ça se passe entre lui et vous. Moi, je vous dis que je me moque de vos petites histoires... Fermez les yeux. Je commence. (*Le Professeur manœuvre un commutateur général. Changement d'éclairage. Lamendin, les yeux fermés, ramasse les traits de son visage. Alors, peu à peu, l'on voit s'agiter les aiguilles des divers cadrans. Elles oscillent, tressaillent, tardent plus ou moins à se fixer. L'éclairage de la scène concentre l'attention du spectateur à la fois sur le visage de Lamendin et sur l'un ou l'autre des cadrans, pour que la correspondance soit bien sensible entre les mouvements du visage et ceux des aiguilles. On entend des bruits de friture. Des phosphorescences, des opalescences traversent soudain certains tubes. Des aigrettes lumineuses crépitent à des bornes, à des boules de métal, à telle ou telle connexion des appareils. Pendant ce temps, le Professeur, suivant des yeux les mouvements de ses divers appareils, fait au tableau de vertigineux calculs d'équations. Le tableau s'emplit en un instant. Mais le Groom agile efface, et, quand un morceau de craie dans la main du Professeur casse, il y en glisse prestement un autre. A un moment, Lamendin pousse un gros soupir. Les aiguilles des divers cadrans font un plongeon violent. Le Pro-*

fesseur paraît interloqué une seconde par l'intensité du phénomène. A mi-voix.) Tate ! Caspita ! Tate ! (*Mais le Professeur se ressaisit et termine peu après ses calculs. Il écrit au milieu du tableau en gros caractères :* PO = 337 PAR EXCÈS. *Il va promptement à Lamendin, en s'essuyant les doigts, et le délivre.*) Bien. Vous avez été sage. Venez. (*Il le fait descendre de la plate-forme et le conduit au tabouret métallique.*) Asseyez-vous ici. (*Il lui met le casque d'écoute.*) Vous allez entendre les prescriptions. Inscrivez-les avec soin dans votre esprit. Et ne pensez ensuite qu'à une seule chose : les exécuter ponctuellement.

Le Professeur enfonce les fiches dans la case 337 de l'Appareil à ordonnances.

L'APPAREIL

J'ordonne (*Lamendin frémit.*) : vous trouver aujourd'hui même à 17 h 15 devant l'entrée principale de la mosquée de Paris ; observer attentivement les personnes qui viendront par la rue Daubenton, en longeant le mur de la mosquée ; dès que l'une d'elles tirera son mouchoir de sa poche et se mouchera, vous avancer vers elle, vous présenter, l'accompagner, au besoin malgré elle, lui signifier que vous vous remettez sans réserve entre ses mains, lui enjoindre de disposer de votre vie à n'importe quelle fin et entièrement comme il lui plaira. Insister d'une manière croissante et jusqu'à satisfaction.

Le Professeur débarrasse Lamendin du casque d'écoute. Lamendin se lève, se secoue, respire.

LAMENDIN

Alors... il faut que je fasse ça ?

MIGUEL RUFISQUE

Aveuglément.

LAMENDIN

Je ne vais jamais me rappeler.

MIGUEL RUFISQUE

Si.

LAMENDIN

Je vous assure. Je ne me rappelle déjà plus. (*Il veut se rasseoir.*) Faites répéter.

MIGUEL RUFISQUE

Non. Vous n'avez rien oublié. Parce qu'il y va de votre salut. D'abord, l'oubli n'existe pas.

LAMENDIN, *très tourmenté.*

Rue Daubenton... Mais, dites... est-ce que la personne saura ?... Le mouchoir, est-ce un signe convenu d'avance ? (*Geste négatif de Miguel Rufisque.*) Non ? Mais c'est terrible. Ça peut tourner très mal pour moi.

MIGUEL RUFISQUE

Moins mal que le suicide.

LAMENDIN

Qui ça va-t-il être, bon Dieu ? Un homme ? Une femme ?... La mosquée... un Kabyle ? (*Cette dernière idée paraît l'effrayer singulièrement. Miguel Rufisque lui fait comprendre que l'entretien est fini. Lamendin gagne la porte.*) Encore une chose : il faudra que l'inconnu se mouche complètement ?

MIGUEL RUFISQUE

Pas un mot de l'ordonnance n'est superflu.

Il continue à le pousser vers la porte.

LAMENDIN, *sur le seuil.*

Je vous en prie, monsieur le professeur, supposez que ça ne réussisse pas, qu'on m'envoie promener... ou même que...

MIGUEL RUFISQUE, *avec une autorité magnifique et un geste qui désigne derrière lui le monde mystérieux de ses appareils.*

Cela réussira, Monsieur, parce qu'il est sans exemple qu'on m'ait signalé une erreur dans mes calculs, ni un vice de construction dans mes appareils.

TROISIÈME TABLEAU

LA MOSQUÉE DE PARIS

Le trottoir devant la mosquée de Paris.

Lamendin, en faction, tourné vers la mosquée. Il est préoccupé, nerveux, mais déjà moins abattu que ce matin. Il piétine sur place, interroge l'horizon de la rue, se parle à lui-même.

SCÈNE PREMIÈRE

LAMENDIN, DIVERS PASSANTS, LE GUIDE, LES ÉTRANGERS

LAMENDIN

Par la rue Daubenton. Autrement dit par la gauche. Absolument inutile de m'occuper de ceux qui viennent comme ça. (*Il fait le geste de venir par la droite. Il regarde sa montre.*) 17 h 14 et demie. J'ai l'heure de la Tour Eiffel, à trois ou quatre secondes près. Attention, en voilà un. Est-ce qu'il va être 17 h 15 quand il passera devant moi ? Pourvu qu'il ne se mouche pas. Ça me créerait une hésitation terrible. Quatorze quarante-trois. (*Un ouvrier venant de la gauche passe, renifle légèrement. Lamendin, qui l'observe avec anxiété, sursaute, mais bientôt s'apaise.*) Bon. Il ne s'est certainement pas mouché. Aucune discussion possible. (*Après un coup d'œil vers la droite.*) Ça, ça ne compte pas. (*Passe, venant de la droite, une fort jolie jeune fille.*) Dommage, d'ailleurs. (*Il médite.*) De toute façon, elle ne se serait pas mouchée. (*Il regarde à gauche.*) Je continue à trouver ça d'une absurdité insondable. Mais je marche. A fond. Le premier qui se mouche — au sens plein du mot — s'il s'obstine à ne pas vouloir m'entendre, je ne sais pas ce que je lui fais. (*Il serre les poings.*) Je crois que je le tue sur place. (*Voyant arriver quelqu'un du bon côté.*) Ah ! ah ! Il est gros. Cinquante-cinq ans... Le temps n'est pas assez humide. La plupart des gens n'ont pas envie. Je puis très bien rester là jusqu'à onze heures du soir. Et, à force de me voir là, on me fera arrêter. (*Passe le gros monsieur. Lamendin guette ses moindres gestes. L'autre le considère avec un peu d'impatience et presse le pas.*) Celui-là ne m'aurait pas déplu. Il a l'air sérieux. Il doit manier de gros intérêts. (*Il guette à nouveau.*) Oh ! là là ! ce serait bien ma veine. Vous allez voir. (*Il s'agite, se désole.*) Simple comme bonjour. Elle me demandera de l'épouser. Mon Dieu ! Mon Dieu ! Mon Dieu ! (*Passe une dame d'âge, mamelue, ventrue, l'œil encore assez ardent, vêtue comme une gardienne de lavatory endimanchée. Lamendin retient sa respiration, serre les fesses. Arrivée près de lui, la dame entrouvre son sac à main. Lamendin étouffe un cri et tend la main derrière lui, vers quelque appui absent. Mais la dame referme son sac et disparaît vers la droite.*) Et ceux-là ? Ils sont toute une bande. Des étrangers ? Oui. Une fournée de l'agence Cook. Avec le guide. Sur le tas, il y en aura bien un qui... Quelle complication ! Comment me faire écouter ?... Je connais si mal les langues étrangères.

Paraît un groupe de touristes, derrière leur guide. Ils font halte devant la porte de la mosquée. Le guide s'approche de la porte, aperçoit un petit écriteau et se retourne vers ses ouailles que Lamendin épie.

LE GUIDE

Too late. Closed at five. Herrschaft, wir sind später. La moschea è chiusa da poche minute. La mezquita esta cerrada cada día a las cinco en punto. Et maintenant, il ne nous reste plus qu'à foutre le camp.

Il s'en va, suivi de ses ouailles. Personne n'a pensé à se moucher.

LAMENDIN

J'aime mieux ça. (*Il regarde sa montre.*) Encore une heure de jour. Dans la nuit, ce sera plus délicat. (*Il jette les yeux vers la gauche. Il recule.*) Ça y est ! Qu'est-ce que j'avais dit ! Ça y est ! (*L'anxiété le pétrifie. Paraît un lamentable Kabyle. En passant devant Lamendin, il se mouche, mais avec ses doigts. Là-dessus, Lamendin se déclenche, puis freine aussitôt. En proie aux affres du scrupule.*) Pas de mouchoir. Est-ce que ça compte ? Je me rappelle l'ordonnance mot à mot. (*Il marmonne. Le Kabyle sort de scène.*) Je voudrais voir Bénin dans un cas de conscience pareil. Tant pis ! Je peux jurer que j'ai été de bonne foi. (*Il va et vient.*) Et pourtant...

Il recommence à marmonner le passage litigieux de l'ordonnance. Il est si préoccupé qu'il ne voit pas venir Le Trouhadec.

SCÈNE II

LAMENDIN, LE TROUHADEC

Le Trouhadec, qui venait à pas comptés, sort lentement son mouchoir, le déploie, se mouche d'une manière confortable et méti-

culeuse. C'est le bruit seul qui tire Lamendin de sa méditation.

LAMENDIN, *bondissant.*

Cette fois-ci... voilà mon homme. (*Il se jette sur Le Trouhadec.*) Monsieur !

LE TROUHADEC

Monsieur ?

LAMENDIN

Monsieur... (*Il se découvre.*) Je vous demande pardon, Monsieur...

LE TROUHADEC

Monsieur ?

LAMENDIN, *qui se ressaisit, mais d'un ton faux.*

Monsieur. Vous ne me remettez pas ? Non. C'est tout naturel. Je m'appelle Lamendin. Jacques-Patrice Lamendin. J'ai envie de vous aborder depuis longtemps. Mais je n'osais jamais.

Il a dit cela avec un peu de confusion.

LE TROUHADEC

Où aurais-je eu l'avantage de vous rencontrer, Monsieur ?

LAMENDIN

Oh ! dans des endroits pas spécialement intéressants. Nous serons tout aussi bien ici pour parler. Vous permettez que je fasse quelques pas avec vous ?

LE TROUHADEC, *très méfiant.*

J'ai un rendez-vous urgent, Monsieur.

Il recommence à marcher. Lamendin s'accroche à lui. Ils font des haltes.

LAMENDIN

Ce que j'ai à vous dire l'est plus encore. Je vous jure que vous ne regretterez pas de m'avoir écouté. (*Pressant.*) Vous avez bien une ambition, Monsieur, un rêve, quelque grand désir, avoué ou secret ? (*Emouvant.*) Et vous vous dites que l'homme est seul. Personne ne l'aide, au fond. Franchement, est-ce que quelqu'un travaille pour vous de toutes ses forces ? s'évertue de jour et de nuit pour arracher au destin la proie que vous voulez, que vous désignez ? Un dévouement... « Votre tout dévoué », on met ça au bas des lettres. Avez-vous même idée de ce que pourrait être un dévouement total et sans condition, pour vous ?

LE TROUHADEC

Ce n'est pas dans la rue que j'espère le trouver, Monsieur.

Il dévisage à travers ses lunettes Lamendin.

LAMENDIN

Et pourtant, il est là.

Il montre sa personne.

LE TROUHADEC, *l'examine, s'inquiète.*

Bien, Monsieur. J'en suis ravi. J'ai votre nom. Laissez-moi votre adresse. Je vous écrirai en cas de besoin.

Il veut s'éloigner.

LAMENDIN

Non, Monsieur. Dès cet instant, je suis votre homme. Ma vie vous appartient. Comme si vous veniez de faire emplette de moi à un marchand d'esclaves. Je n'ai plus le droit de vous quitter.

LE TROUHADEC

Mais je vous le donne, Monsieur, bien volontiers.

LAMENDIN

Vous ne pouvez pas. (*Affectant l'allégresse.*) La question ne se pose plus. Montrez-moi le chemin, Monsieur. Et causons sérieusement.

Ils s'éloignent, l'un harponné par l'autre.

QUATRIÈME TABLEAU

L'APPARTEMENT DE M. LE TROUHADEC

Le cabinet de Le Trouhadec, vaste pièce de la vieille façon. Des tables, des bibliothèques, des fichiers, de grandes cartes, deux globes terrestres.

SCÈNE UNIQUE

LE TROUHADEC, LAMENDIN

Les deux hommes pénètrent dans la pièce. M. Le Trouhadec s'assoit, d'un air accablé. On devine qu'il a soutenu une lutte épuisante et inutile pour se débarrasser de son compagnon.

LAMENDIN, *du ton le plus modéré, le plus raisonnable.*

Remarquez, cher Monsieur, que je comprends fort bien la petite gêne passagère que vous éprouvez. Je l'éprouve aussi. En somme, j'ai l'air de m'imposer à vous. (*Le Trouhadec hoche la tête avec une amère ironie. Lamendin, bonhomme.*) C'est entendu. Les usages veulent qu'on y mette plus de formes. Mais c'est avec des chinoiseries pareilles qu'on perd son temps et qu'on laisse fuir les occasions... (*Il fait un pas vers lui.*) Monsieur, la situation entre nous est d'une clarté parfaite. Un enfant mal doué ou même un crétin physiologique la saisirait d'un coup d'œil. J'attends que vous vouliez bien disposer de moi, corps et âme. La seule chose que vous ne puissiez obtenir de moi, c'est que je me résigne à un refus.

LE TROUHADEC

Mais d'où vient l'intérêt que vous me portez, Monsieur ? Vous ne m'avez donné là-dessus que les explications les plus vagues. Vous ne savez même pas mon nom.

LAMENDIN

Je reconnais. Il y a eu dans mes propos un ou deux points... volontairement obscurs. Nous en reparlerons plus tard. Une erreur dont vous devez vous garder, c'est de croire que vous avez affaire à un fou.

LE TROUHADEC, *inquiet.*

Je n'ai rien dit de pareil, Monsieur.

LAMENDIN, *calme, optimiste.*

Je vous signale l'erreur, c'est tout. Elle se dissipera d'elle-même. (*Il va et vient dans la pièce, avec aisance. Le Trouhadec l'observe à la dérobée. Lamendin, montrant le premier globe.*) Joli, ce machin-là. Ça se caresse très bien. (*Il le fait.*) Il est difficile de ne pas évoquer certaines idées. Même la fraîcheur contribue à l'impression. Oui, oui. (*Il arrive au deuxième.*) Encore une ? (*Il regarde autour de lui.*) Et puis des cartes ? (*Il s'en approche.*) Ça, c'est l'Amérique du Sud. Ah ! mais ça aussi ! Vous vous occupez de géographie, Monsieur ?

LE TROUHADEC

Vous n'en aviez aucun soupçon, Monsieur ? (*Amer.*) Décidément, vous me connaissez bien.

LAMENDIN

Pardon ! Je savais que c'était dans ce genre-là : géologie, géométrie, géographie. Mais je suis enchanté de ce que vous me dites. La géographie, la vraie géographie a toujours eu pour moi un attrait irrésistible et même inexplicable. Tenez,

Monsieur, j'ai débuté autrefois dans l'architecture. Devinez pourquoi j'ai lâché le métier ? Parce qu'un jour, me promenant dans les Alpes et contemplant le massif de Belledonne, j'ai compris que je ne pourrais jamais en faire autant. Car j'ai toujours eu conscience de mes limites. Oui, ce jour-là, je me suis senti terrassé par la géographie.

LE TROUHADEC

L'avez-vous étudiée ?

LAMENDIN

Non. Par timidité. Le géographe est resté pour moi, depuis, quelqu'un d'un peu surhumain, comme le musicien ou le sculpteur de génie. (*Il épie Le Trouhadec et craint que l'éloge n'ait pas été suffisant.*) Au moins ! au moins !... Je veux dire avec toute l'énormité en plus qu'on est bien forcé d'accorder à une chaîne de montagnes, si l'on met à côté même un groupe de Michel-Ange. Oui, en un mot, ce qui vient pour moi au niveau du grand sculpteur, ce n'est pas le grand géographe, non, non, c'est... disons le petit géographe.

LE TROUHADEC, *laisse voir que ce discours ne lui déplaît pas, puis.*

Dommage !

LAMENDIN, *empressé.*

Dommage ?...

LE TROUHADEC

... qu'avec de tels sentiments, qui font honneur à votre esprit, vous ayez une teinture géographique aussi faible.

LAMENDIN

Ai-je dit cela ? Alors j'ai eu tort. Je ne manque pas de notions. Je sais les parties du monde, les colonies françaises, les capitales de l'Europe, nos grands fleuves, un nombre important de sous-préfectures...

LE TROUHADEC, *coupant.*

Bref, seriez-vous capable d'écrire des articles de polémique dans une revue spéciale de géographie ?

Il s'est levé.

LAMENDIN

Des articles de polémique ? Mon Dieu... bien guidé...

LE TROUHADEC

Les connaissances qu'il faut ne s'improvisent pas.

LAMENDIN

Ecoutez, Monsieur, je suppose que, là comme

ailleurs, la polémique, c'est beaucoup d'affirmations injurieuses appuyées sur deux ou trois faits précis. Vous me fournirez les deux ou trois faits précis.

LE TROUHADEC

Il y a aussi le style, le vocabulaire technique...

LAMENDIN

J'attraperai ça très bien. D'abord, quand j'ai à me servir de mots que je ne comprends pas, je m'arrange pour en faire une phrase que personne ne comprend non plus. Donc, jamais d'ennuis. Du moment que les injures sont claires, le reste passe dans le mouvement.

LE TROUHADEC, *devenu grave.*

Tout à l'heure, Monsieur, vous m'avez demandé si j'avais une ambition. Oui, j'en ai une, une seule : être élu membre de l'Institut à l'élection de l'hiver prochain. (*Lamendin s'incline.*) Quand je vous aurai dit mon nom, vous trouverez, je crois, cette ambition toute naturelle. Je suis Yves Le Trouhadec, le professeur de géographie du Collège de France.

LAMENDIN, *jouant un étonnement flatteur.*

Comment, vous n'êtes pas de l'Institut ? J'aurais juré que si.

LE TROUHADEC

Vous me connaissez de réputation ?

LAMENDIN

Parbleu !

LE TROUHADEC

Mes rivaux, hélas ! font bonne garde. (*Il cherche dans ses papiers, tend à Lamendin une coupure de presse.*) Voyez ce qu'on imprime. Lisez !

LAMENDIN, *il lit tout haut.*

« Sous la Coupole... M. Le... Le Troubadec » pardon, que je suis bête ! « Le Trouhadec se porte candidat à la succession du regretté... Van Schoonert. Il aurait quelque chance d'être élu, vu son âge, si les académiciens ne se rappelaient la ridicule histoire de... Donogoo-Tonka. (*Lamendin lève la tête vers Le Trouhadec, qui baisse la sienne.*) Dans sa volumineuse *Géographie de l'Amérique du Sud,* parue il y a dix ans et qui est son ouvrage capital, M. Le Trouhadec donne d'abondants renseignements sur la ville de Donogoo-Tonka, ainsi que sur la région aurifère dont elle forme le centre. Le seul malheur est que la ville de Donogoo-Tonka n'a jamais existé. M. Le Trouhadec a été la dupe de quelque récit fantaisiste d'aventurier ou d'une invention d'humoriste.

La jobardise n'est pas encore un titre pour l'Institut. — Signé : Trois Etoiles. »

(*Lamendin regarde Le Trouhadec d'un air qui veut dire : « Eh bien ? » Le Trouhadec va à une bibliothèque, saisit le tome III de son ouvrage et le fourre sous le nez de Lamendin. Lamendin, désignant l'ouvrage.*)

C'est là qu'est décrite la ville en question ?

LE TROUHADEC, *sombre*.

Oui.

LAMENDIN *parcourt le texte, puis poliment*.

Ça a l'air très bien... (*Il continue à parcourir.*) Oui...

Climat salubre..., type de construction assez élégant... Et puis les sables aurifères tout près... (*Pris par ce qu'il vient de lire.*) Qu'est-ce qu'ils lui reprochent à cette ville ?

LE TROUHADEC

De ne pas exister.

LAMENDIN

Ah ! oui, c'est vrai. (*Il médite.*) Oui, oui. (*Il regarde Le Trouhadec, hésite.*) Et vous avez l'impression que... oui... il vous semble que... enfin...

LE TROUHADEC

Comment voulez-vous qu'un savant aille vérifier par lui-même tous les faits qu'il relate dans un ouvrage de cette dimension ?

LAMENDIN, *gardant en main le tome III.*

C'est évident.

LE TROUHADEC

Toute science, Monsieur, et d'abord celle-ci, est à base de confiance.

LAMENDIN

Hé oui ! comme tout le reste... comme la rente ou la monnaie.

LE TROUHADEC, *tristement.*

Allez le faire entendre à des adversaires de mauvaise foi.

LAMENDIN, *considérant tour à tour la carte d'Amérique et le tome III.*

Oui, oui. Ça ne rend pas notre polémique des plus faciles.

LE TROUHADEC, *amer.*

Vous voyez bien !

LAMENDIN

Quoi donc ?

LE TROUHADEC

Je n'ai qu'une ambition, rien qu'une. Et vous, Monsieur, qui prétendez — Dieu sait d'ailleurs pourquoi — vous dévouer à moi corps et âme, voilà que vous renoncez déjà à lutter pour elle.

LAMENDIN

Permettez ! Permettez ! Je réfléchis. Je cherche. (*Il pose le tome III, va considérer la carte. A mi-voix.*) Alors, cette bougresse de ville n'existe pas ? (*Se retournant vers Le Trouhadec.*) Dites, Monsieur, si elle existait, où serait-elle ?

LE TROUHADEC, *un peu piqué.*

Mais là où je l'ai placée, Monsieur, exactement. (*Il s'approche de la carte.*) Tenez, ici.

LAMENDIN, *hochant la tête, et du ton le plus approbateur.*

Parfaitement. (*Il médite encore.*) Dans combien de temps l'élection ?

LE TROUHADEC

Dans six mois, à peu près.

LAMENDIN

J'ai bien une idée...

LE TROUHADEC

Parlez.

LAMENDIN

Six mois, c'est un peu court. Mais d'ici là, je pourrais quand même essayer de fonder cette sacrée ville de... comment vous dites ?... de Donogoo-Tonka, hein ?

LE TROUHADEC

La fonder ? Réellement ?

LAMENDIN

Si je la fonde, il vaut mieux, cette fois-ci, que ce soit réel.

LE TROUHADEC, *un peu ivre.*

Et vous... vous savez fonder une ville ?

LAMENDIN

Oh ! pas du tout. Mais ça ne doit pas être plus difficile qu'autre chose. Quand on est dans l'état particulier où je vis depuis ce matin, c'est même curieux comme les divers travaux que ce monde peut offrir s'égalisent sous le regard : poser une serrure, séduire la reine d'Angleterre, fonder la ville de Donogoo-Tonka, je vous assure que ça ne se présente pas pour moi avec des différences bien notables. Vous auriez tort de vous gêner. (*Un temps.*) Alors ? C'est oui ou c'est non ? (*Le Trouhadec semble dépassé par la vitesse des événements.*) C'est oui ? (*Le Trouhadec fait un geste de vague acquiescement effaré.*) Bien. On s'y mettra.

CINQUIÈME TABLEAU

LA PREMIÈRE BANQUE

Le bureau du Directeur. Tout est d'aspect cossu : l'acajou des meubles, la livrée du personnel, l'obésité du chef imposent confiance.

SCÈNE UNIQUE

LAMENDIN, LE DIRECTEUR

Lamendin, fort correctement vêtu, une serviette sous le bras, le teint déjà plus frais, pénètre dans le bureau avec autant de résolution que d'inexpérience. Le Directeur lui désigne un siège.

LAMENDIN

Je ne vous ferai pas perdre de temps, monsieur le directeur. Vous saisirez du premier coup l'importance de l'affaire qui m'amène. Malgré certaines facilités qui m'étaient offertes, j'ai tenu à ne tenter aucune démarche dans le monde de la finance avant de vous avoir vu. Pourquoi ? Tout simplement parce que je considère la banque que vous dirigez comme la première de la place... (*Protestation modeste de l'autre.*) du point de vue qui m'intéresse. Je ne suis pas assez novice pour penser que le Crédit Lyonnais ou la Société Générale accepteraient de jouer la partie, au début. Ils me placeront mes obligations, plus tard, avec un honnête courtage. Mais, pour le moment, c'est avec une maison comme la vôtre — je veux dire très forte, très solide, mais restée jeune, nerveuse — que j'entends marcher. Bref, je vous apporte une affaire vierge.

Il frappe sur sa serviette.

LE DIRECTEUR, *d'une courtoisie indifférente.*

A une époque bien défavorable, malheureusement. Nous sommes en plein marasme. Avec les dispositions présentes de la clientèle, tout appel aux capitaux, si évocateurs qu'en soient les accents, est condamné à retentir dans le vide.

LAMENDIN

Je me permets de ne pas être de votre avis, monsieur le directeur. (*L'autre fait le geste de dire, fort poliment, que ça lui est complètement égal. Lamendin continue, avec un sourire et un aplomb un peu inquiets.*) Plus je vais et moins je crois aux prétendues situations générales.

LE DIRECTEUR, *étonné.*

Pourtant...

LAMENDIN

Non, non. Citez-moi une affaire récente, vraiment bonne, où le public ait refusé de s'engager. (*Coupant la réponse qui commence à poindre.*) Je devine les deux ou trois noms qui vous viennent aux lèvres. J'ai mon opinion... (*Il a cligné de l'œil d'un air entendu.*) Mais il ne s'agit pas de ça. (*Confidentiel.*) Entre nous, monsieur le directeur, que pensez-vous de la région de Donogoo ?

LE DIRECTEUR

Vous dites ?

LAMENDIN, *dont la gorge se serre un peu.*

De la région de Donogoo-Tonka ? (*Il se pousse.*) Vous avez suivi ça ?

LE DIRECTEUR, *qui craint d'avoir l'air bête.*

Pas de très près.

LAMENDIN

Vraiment ? Tiens... Même ce qui s'est dit dans la presse américaine ?...

LE DIRECTEUR, *même jeu.*

J'en ai eu des échos, indirectement.

LAMENDIN, *rêveur, avec une nuance de tristesse patriotique.*

Oui, c'est un coin où nous sommes allés les premiers, nous autres Français. Nous n'aurions jamais dû laisser personne rôder autour. (*Très entendu.*) Et c'était facile ! (*Plus ferme et optimiste.*) Enfin, il n'y a encore rien de perdu. (*Désinvolte.*) Je n'en dirai peut-être pas autant dans six mois.

LE DIRECTEUR, *vaguement impressionné.*

Vous vous intéressez à cette région, Monsieur ?

LAMENDIN

Monsieur, c'est bien simple. Je suis en train de mettre sur pied une affaire de... soixante-quinze millions. Et si les Américains me laissent tranquille, pendant la période où je négocie, je suis sûr de distribuer dès l'an prochain six pour cent à mes actionnaires. Peut-être sept, mais je ne veux pas m'emballer.

LE DIRECTEUR, *un peu gêné de son ignorance.*

Vous avez déjà pris pied là-bas ?

LAMENDIN, *comme entraîné par le mouvement de sa pensée.*

Monsieur, remarquez que je ne sais pas si, personnellement, vous voyez plutôt le développement futur de Donogoo dans le sens région aurifère ou dans le sens ville, grands travaux, terrains, voies de communication ?

Il attend la réponse.

LE DIRECTEUR

Les deux aspects sont toujours plus ou moins solidaires.

LAMENDIN

C'est bien mon avis ; mais, croyez-moi, l'affaire (*Il le dit avec une conviction puissante.*), ça n'est pas les gisements... Non, non.

Il frappe sur la table.

LE DIRECTEUR, *qui nage un peu.*

Vous trouvez ?

LAMENDIN, *avec fougue.*

On nous cite toujours la fameuse page de Le Trouhadec. Oh ! je ne crains pas de la montrer. (*Il tire de sa serviette le tome III, l'ouvre à la page inexpiable et le pousse sous le nez du Directeur.*) Il n'est pas question de discuter l'autorité scientifique de Le Trouhadec. Mais on oublie que cette page a été écrite il y a dix ans.

LE DIRECTEUR, *qui la parcourt après avoir jeté un coup d'œil sur le titre de l'ouvrage.*

C'est d'ailleurs très favorable pour Dogo... pour Dono... pour Dogono...

LAMENDIN

Le Trouhadec ne peut dire que ce qui est. (*Reprenant son élan.*) Il y a une politique : rafler les placers, renouveler l'outillage, exploiter nous-mêmes, directement ou non, gagner, au besoin, sur l'autre rive du fleuve. Nous aurons payé tout deux fois le prix que ça vaut et nous travaillerons cinq ans avant de faire des bénéfices — sans parler des fluctuations du métal. Non. L'affaire, c'est la ville. Vous êtes allé en Amérique, monsieur le directeur ?

LE DIRECTEUR, *peu fier.*

Non. Pas encore.

LAMENDIN, *indulgent.*

Vous avez idée de ce que sont des villes comme Pittsburgh ou Detroit ?

LE DIRECTEUR

Oui, par le cinéma.

LAMENDIN

Eh bien, imaginez juste le contraire. (*Un temps. Le Directeur imagine.*) Je veux dire qu'à mon avis (*D'un ton de rude franchise.*) Donogoo est une ville ratée. Pas de plan d'ensemble. Pas d'autorité administrative. Le va-comme-je-te-pousse. Oui. Mais des possibilités formidables, et personne qui nous embête. Les gens ne pensent qu'aux sables. Ils se fichent du reste. C'est un campement, pour eux. Vous me voyez venir. Je me jette sur la ville, avec mes millions. J'achète tous les emplacements dont je sais d'avance ce que je veux faire. J'ai ça pour un morceau de pain. Les malins essaient de m'avoir ? Je change mes tracés. Vous comprenez la force du monsieur qui peut dire : « C'est ici que je ferai les grands hôtels, ici l'avenue où je mettrai la poste et la Bourse », et qui peut jouer sur une marge d'un kilomètre ? Pendant ce temps-là, les placers travaillent à leurs risques et pour qui, en définitive ? Pour moi, qui draine les salaires et qui enregistre tranquillement mes plus-values ! Ce qui ne m'empêche pas de cueillir à l'occasion un placer qui périclite ou d'en créer d'autres avec un outillage dernier cri qui me rend maître du marché. (*Il laisse un instant le Directeur sous le coup de cette évocation, puis d'un ton de calme ironie.*) J'ajoute que si nous laissons aux Américains du Nord le temps de « réaliser » la situation, comme ils disent, nous pourrons venir ensuite avec nos 75 millions de francs papier !

LE DIRECTEUR, *beaucoup plus impressionné qu'il ne voudrait le paraître.*

Vous estimez qu'actuellement ce capital-là suffirait ?

LAMENDIN

A condition qu'il soit entièrement versé, oui. 150 000 actions de 500 francs, émises au pair. (*Accommodant.*) Versement en deux tranches, à six mois d'intervalle, à la rigueur.

LE DIRECTEUR

Je ne vous cache pas, Monsieur, qu'on nous apporte rarement des affaires aussi étudiées. On vous sent plein de votre sujet. Et notez que je ne suis pas loin de penser comme vous. Do... (*Il bredouille un peu.*) Dogono-Sonka m'a toujours semblé, à moi aussi, offrir des perspectives plus intéressantes sous l'angle mise en valeur de la région et grands travaux que sous l'angle métal. L'ennui, c'est que nous ne pouvons pas, ici, envisager une affaire comme celle-là à nous seuls.

LAMENDIN

Sérieusement ?

LE DIRECTEUR

Je vous assure. Nous sommes engagés de divers côtés. Le Conseil est devenu très prudent. Décidez deux ou trois maisons de premier rang à marcher, et c'est bien le diable si je ne vous obtiens pas un concours... oh ! vous savez, assez limité, de toute façon.

LAMENDIN, *un peu refroidi.*

Soit. J'aurais préféré vous donner toute l'affaire... Enfin, qu'est-ce que je vous réserve ? Vingt-cinq millions ?

LE DIRECTEUR, *effrayé.*

Ne prononcez pas de chiffres, je vous en prie. C'est beaucoup trop tôt.

LAMENDIN

Pourtant, les autres maisons vont me demander quelle tranche vous prenez.

LE DIRECTEUR, *vivement.*

Mais ne parlez pas de nous. Ne nous citez pas.
Il se lève. Lamendin aussi.

LAMENDIN

Vous m'autorisez bien à dire que vous vous intéressez à l'affaire ?

LE DIRECTEUR

Non, non ! Je n'ai pas le droit. Le Conseil me désavouerait.

LAMENDIN, *magnifique.*

Voulez-vous d'autres renseignements, une documentation technique ?

LE DIRECTEUR

Non, cher Monsieur, ce n'est pas cela. Nous avons fait des affaires beaucoup plus grosses sur des bases beaucoup moins sûres. Nous suivrons.

Mais ce n'est pas à nous de montrer le chemin. La confiance de notre clientèle nous crée des devoirs. (*Il tend la main à Lamendin, un peu déconfit.*) A bientôt, j'espère, cher Monsieur.

LAMENDIN

C'est cela. Sans engagement de ma part si, ailleurs, on me réclamait la totalité de l'affaire.

LE DIRECTEUR

Bien entendu. Mais ça m'étonnerait.

SIXIÈME TABLEAU

LE CAFÉ BIARD

Un petit café Biard, à l'angle de deux rues. Lamendin est seul à un guéridon placé contre la vitre. Le Patron rêve et bâille près des percolateurs. Le Garçon, les pieds écartés, se balance devant le comptoir.

SCÈNE UNIQUE

LAMENDIN, LE GARÇON, LE PATRON

LAMENDIN, *sombre, tour à tour déprimé et furieux, marmonne, le visage vers la vitre.*

Tout de même ! Je ne vois pas comment j'aurais pu leur envoyer ça mieux. Il n'y a qu'à la Banque Nationale que j'ai un peu bafouillé. Quel triste monde ! (*Il regarde l'heure.*) J'ai fini un quart d'heure plus tôt qu'hier. Une, deux, trois ; une, deux, trois. Ça fait six. Six grandes honorables banques. Qu'est-ce qu'il leur faut ? « A la septième fois, les murailles tombèrent. » Oui, sur la gueule du monsieur. C'est encore le premier qui m'a le moins mal reçu. J'ai cru un moment que ça y était. Ah ! dégoûtation des dégoûtations ! Au fond, ce sont des andouilles. Pas un n'a été capable de me dire : « Votre affaire, ça n'existe pas, vous vous fichez de nous. » Je suis sûr que si l'on y mettait le prix... Ah ! Et puis non ! Je ne recommence plus. Plutôt le canal.

LE GARÇON, *qui s'approche.*

C'est calme.

LAMENDIN

Oui, en effet !

LE GARÇON

Ici, ce n'est pas l'heure du mouvement.

LAMENDIN

Vous travaillez surtout l'après-midi ?

LE GARÇON

Le matin, jusqu'à 9 heures. Et à partir de midi,

la Bourse. D'ailleurs, c'est calme en général. La crise.

LAMENDIN, *de côté.*

Lui aussi.

LE GARÇON

Si vous êtes dans les affaires, vous devez vous en apercevoir.

LAMENDIN

Oui, un peu.

LE GARÇON

Ça dépend naturellement du genre d'affaires. Mais la Bourse est le grand moteur. J'ai remarqué que les cuprifères entraînent les autres compartiments. Je fais la Tharsis. Le Rio, ce n'est pas pour moi. Qu'est-ce que vous pensez de la Tharsis ?

LAMENDIN

Une bonne petite valeur.

LE GARÇON

Qui demande à être surveillée de rudement près.

LAMENDIN

Avec la clientèle qui défile ici, vous devez avoir beaucoup de tuyaux ?

LE GARÇON

Il en tombe tant qu'on en veut. Mais je ne les ramasse pas. En matière de Bourse, il faut se faire son opinion à soi et se boucher les oreilles.

LAMENDIN

Pour jouer sur une valeur, peut-être. Mais pour connaître, par exemple, certains dessous d'un établissement de crédit ? les habitudes particulières à telle ou telle banque ? Même les racontars du personnel peuvent avoir leur intérêt.

LE GARÇON, *dédaigneux*.

Oui... Vous savez, le personnel subalterne !... Evidemment, si la maison doit sauter le lendemain, ils sentent venir quelque chose. Mais pour le reste ! Vous cherchez à vous renseigner sur une banque ?

LAMENDIN

Vous avez des démarcheurs parmi vos clients ? des gens chargés du placement des titres ?

LE GARÇON

Oui, plusieurs. (*Il réfléchit.*) Le principal démarcheur de la banque qui est presque en face prend ici chaque jour ses quatre ou cinq apéritifs.

LAMENDIN

Quelle banque ?

LE GARÇON

Vous voyez : cette boutique vert wagon.

LAMENDIN

Ça n'a pas l'air bien brillant.

LE GARÇON

Je ne vous dis pas que ce soit solide comme le Pont-Neuf, mais ça trafique. (*Il réfléchit.*) Pas trop, pour l'instant. Comme ces gaillards-là vivent surtout de casuel, ils sont bien plus touchés que d'autres par le ralentissement des affaires.

LAMENDIN

Vous pourriez me mettre en rapport avec ce démarcheur ?

LE GARÇON, *sarcastique.*

Vous avez de l'argent à placer ?

LAMENDIN

Non, pas exactement.

LE GARÇON

Alors, tant mieux.

Il rit.

LAMENDIN, *plein d'espoir.*

Pourquoi ? Les titres dont la maison s'occupe ne sont pas de tout repos ?

LE GARÇON

Oh ! après tout, il faut de ce papier-là. C'est moins mort que le billet de banque et juste un peu plus résistant que le billet de loterie. Le public en a besoin.

LAMENDIN, *rêvant.*

Oui. Votre démarcheur a de l'influence dans la maison ?

LE GARÇON

Auprès de la direction ? Aucune.

LAMENDIN

Et le directeur ? Vous le connaissez ?

LE GARÇON

De vue. (*Au Patron.*) N'est-ce pas, patron. Le directeur de la banque d'en face a dû prendre son café ici, une fois ou deux... (*A Lamendin.*) Il s'appelle...

LE PATRON, *d'une indifférence bouddhique.*

Oui.

LE GARÇON

... Margajat... M. Margajat.

LAMENDIN, *qui se lève et paie.*

Il a l'air abordable ?

LE GARÇON

Vous avez quelque chose à lui proposer ?

Il rend la monnaie.

LAMENDIN

Peut-être.

Il fait un pas vers la porte.

LE GARÇON

Allez-y ! Ne vous gênez pas. (*Lamendin s'arrête, hésite, souffle.*) Quoi ! Vous êtes timide ?

LAMENDIN, *comme à lui-même.*

Non. Mais quand il faut recommencer le même boniment pour la septième fois...

LE GARÇON

Sept, vous savez, ce n'est pas un mauvais nombre. (*Il rit, désigne la banque d'un petit geste.*) Et puis, dites-vous que ce sera la première fois pour lui.

SEPTIÈME TABLEAU

LA SEPTIÈME BANQUE

Le bureau du directeur. La difficulté présente des affaires s'y marque en traits visibles. Tout, depuis la casquette du garçon jusqu'à la jaquette du directeur, trahit l'incertitude des bilans et les crampes du coffre-fort.

SCÈNE PREMIÈRE

LAMENDIN, LE BANQUIER MARGAJAT

LE BANQUIER, *de l'air le plus blasé.*

Asseyez-vous, Monsieur. Qu'y a-t-il pour votre service ?

LAMENDIN, *au début, refrène sa volubilité, mais il sait tellement ça par cœur que le mouvement l'emporte.*

Je ne vous ferai pas perdre de temps, monsieur le directeur. Vous saisirez du premier coup l'importance de l'affaire qui m'amène. Malgré certaines facilités qui m'étaient offertes ici et là, j'ai tenu à ne tenter aucune démarche dans le monde de la finance avant d'avoir pris contact avec vous. Pourquoi ? Tout simplement parce que je considère la banque que vous dirigez comme la première (*Il se ressaisit.*) de sa catégorie. Bref, je vous apporte une affaire vierge. (*Il frappe sur sa serviette et attend l'objection habituelle. L'autre renifle, sans aucune trace d'émotion. Lamendin se trouble un peu.*) Que pensez-vous de la région de Donogoo-Tonka, monsieur le directeur ? (*Silence.*) Que dites-vous de la campagne qui s'amorce dans la presse américaine ? (*Silence. Il reprend, rêveur, patriotique.*) C'est un coin où nous avons des droits à maintenir, nous autres Français. Dans six mois, il sera trop tard. (*Il attend, puis se remet courageusement en route.*) Avant d'aller plus loin, j'aimerais savoir de quelle façon, Monsieur, vous voyez personnellement l'avenir de Donogoo. Est-ce à la région aurifère que vous croyez plutôt ou au développement de la ville, à tout le côté grands travaux, terrains, voies de communication ?

Il attend.

LE BANQUIER

Moi ? A rien du tout.

LAMENDIN, *démonté.*

Vous exagérez, monsieur Margajat.

LE BANQUIER

Mais ça n'empêche pas... continuez, Monsieur.

LAMENDIN, *avec effort.*

Vous exagérez, franchement. Lisez ce qu'un homme comme Yves Le Trouhadec, notre premier géographe, un des premiers du monde, pensait de Donogoo-Tonka il y a déjà dix ans. (*Il prend le tome III dans sa serviette et le tend à l'autre.*) Vous ne direz pas que c'est écrit pour la circonstance.

LE BANQUIER, *tandis qu'il prend le volume.*

Dono... Répétez un peu ?

LAMENDIN, *dont la voix s'étrangle.*

Donogoo-Tonka.

LE BANQUIER

Pas mal. C'est un mot qu'on retient, c'est-à-dire qu'on ne retient pas ; mais c'est la difficulté de se le rappeler qui prend quelque chose d'inoubliable. Oui. Les gens auront envie d'en parler, rien que pour s'assurer qu'ils ne sont pas encore gâteux. Oui. Très bien. (*Il parcourt le texte de Le Trouhadec.*) Il vit encore, ce type-là ?

LAMENDIN

Il professe au Collège de France. L'élite intellectuelle s'écrase à ses cours.

LE BANQUIER

Alors, votre affaire vierge ?

LAMENDIN, *reprend son élan.*

C'est tout simple. Je jette en ce moment les bases d'une société anonyme au capital de 75 millions de francs, divisé en 150 000 actions de 500 francs émises au pair. Objet de la société : mise en valeur, développement, aménagement de la ville et de la région de Donogoo-Tonka, exploitation intensive...

LE BANQUIER

... des gogos de la région parisienne... (*Il rigole.*) qui deviendront de ce fait les Donogogos. (*Gêne de Lamendin, petit silence.*) Vous êtes en quels termes avec votre géographe ?

LAMENDIN

C'est un grand ami pour moi.

LE BANQUIER

Vous avez trouvé un nom pour la société ?

LAMENDIN

Je cherche encore... J'avais pensé à quelque chose comme : « Compagnie générale des grands travaux de Donogoo-Tonka ».

LE BANQUIER

« Compagnie générale », c'est bien... Votre truc est en Amérique ?... Plus ou moins ?

LAMENDIN, *sérieux.*

En Amérique du Sud, très précisément. (*Il*

indique sur une carte du tome III.) Tenez, par ici.

LE BANQUIER

Oh ! je n'ai pas l'intention d'aller y voir. (*Il regarde la carte.*) Au fond du Brésil ? On vous laissera la paix. Pas de visites à craindre.

LAMENDIN

Notez que je compte me rendre sur place aussitôt que possible et, profitant de mes études, de mon expérience d'architecte, ancien élève des Beaux-Arts, faire un effort énorme pour doter rapidement Donogoo de tout ce qui lui manque : voirie, édifices publics...

LE BANQUIER

Oui, ça c'est un détail. (*Il prend un crayon, écrit.*) Pour la publicité courante, « Compagnie générale de Donogoo-Tonka », ça peut aller. Pour la publicité technique et pour les statuts, il faut quelque chose de plus corsé, (*Il essaie.*) « Compagnie générale... franco-américaine » ? Hein ?

LAMENDIN

Oui, très bien.

LE BANQUIER

« pour... »

LAMENDIN

« pour l'embellissement et l'extension de Donogoo-Tonka... »

LE BANQUIER, *qui écrit sous la dictée.*

C'est un peu couillon, mais ça a l'air honnête... oui.

LAMENDIN

« ... et l'exploitation intensive... »

LE BANQUIER, *repris par la gaieté.*

Non, pas de blagues !

LAMENDIN

« ... de sa région aurifère. » Je ne suis pas d'avis qu'il faille trop insister sur l'or. Mais si l'on n'en parlait pas du tout, ça ferait bizarre.

LE BANQUIER, *gai.*

Oh ! moi, je veux bien. Un peu d'or, mais

discrètement. Comme dans les intérieurs vraiment cossus. (*Il rigole.*) En somme, l'affaire est déjà très avancée. (*Il se lève. Plus sérieux.*) Qui y a-t-il dans la combinaison en dehors de vous ?

LAMENDIN

Plusieurs grosses maisons m'ont promis leur concours. Mais j'ai voulu garder les mains libres.

LE BANQUIER, *mi-goguenard.*

Oui... Vous avez de la chance. Vous tombez sur un homme qui ne se rappelle pas avoir eu dans sa vie un besoin aussi urgent de faire rentrer deux ou trois millions. Dites, votre géographe... son nom ?

LAMENDIN

Le Trouhadec. Yves Le Trouhadec.

LE BANQUIER

Votre affaire se distingue par la difficulté des noms propres et le travail qu'elle procure à la mémoire. Donc, votre Le Trouhadec, est-ce qu'il accepterait de faire une conférence... mettons samedi prochain... à 3 heures ?

LAMENDIN

Je pense, mais où ça ?

LE BANQUIER

Pas devant un grand public. Non. Une quinzaine de personnalités financières que j'ai en vue et qu'un boniment de votre professeur au Collège de France impressionnera bien plus que trois semaines de démarches faites par vous ou par moi. Je les connais.

LAMENDIN

Bon. J'irai le voir.

LE BANQUIER

Téléphonez-lui d'ici même. Offrez-lui au besoin un cachet sérieux. Cinq mille francs. J'avancerai ça. Il y a toujours moyen de faire prendre cinq mille francs à quelqu'un sans qu'il se fâche. Il est vieux ? Comment s'habille-t-il ?

LAMENDIN

Oh ! sans aucune recherche d'élégance ni souci de mode... Je lui revois de gros souliers, un vieux chapeau...

LE BANQUIER

Non, non, pas ça. C'était encore admis avant la guerre.. mais aujourd'hui un savant qui présente mal a l'air d'un pion dans la débine. Tâchez d'obtenir qu'il se laisse habiller pour samedi. Je lui enverrai le tailleur.

LAMENDIN

Ce sera délicat.

LE BANQUIER

Il faut vous arranger aussi pour qu'il dise exactement ce que nous voulons. Trente minutes de causerie, au maximum, avec projections cinématographiques.

LAMENDIN

Projections de quoi ?

LE BANQUIER

Du pays, de la ville. (*Il décroche l'appareil téléphonique.*) « Marcadet 26-50. » (*A Lamendin.*) Les gens que je convoquerai aiment une documentation concrète. En outre, ils ne tiennent pas spécialement à s'ennuyer. (*A l'appareil.*) « Je désire parler à M. Lucas... De la part de la Banque inter-économique... Le directeur. » (*A Lamendin.*) Surtout le samedi, où ils viennent de déjeuner plus copieusement. (*A l'appareil.*) « Dites donc, Lucas, auriez-vous le temps, d'ici samedi, de m'établir un tout petit documentaire, cent cinquante à deux cents mètres ? (*Il attend la réponse.*) Oui, oui. (*Même jeu.*) Ça se passe au Brésil, mais un peu dans le genre Alaska... Mercredi au plus tard ?... Bon. Je vous retéléphonerai. A bientôt. » (*Il raccroche, puis à Lamendin.*) Ils nous feront ça, mercredi prochain, dans les environs de Paris, oui, sur le plateau de Châtillon. Vous leur donnerez les indications utiles... Bon, je réfléchis. Vous n'auriez pas parmi vos amis un gaillard qui ait la langue bien pendue ?...

LAMENDIN

Ça ne manque pas.

LE BANQUIER

Et plus ou moins une gueule d'aventurier ?...

LAMENDIN, *à part.*

Lesueur... (*A Margajat.*) Oui, un nommé Lesueur, peut-être...

LE BANQUIER

Grand voyageur ?

LAMENDIN

Pas trop, il n'a pas quitté Montmartre depuis plusieurs années.

LE BANQUIER

J'aurai besoin de lui samedi. Il sera censé arriver de là-bas. Une causerie familière. Vous comprenez, Le Trouhadec... la science, le grand coup de rasoir : géographie, hydrographie...

LAMENDIN

Pétrographie...

LE BANQUIER

C'est ça. L'autre... les impressions vécues, les anecdotes saisies sur le vif, bref tout ce qui ne s'invente pas.

LAMENDIN

Mais où trouvera-t-il ça ?

LE BANQUIER, *sérieux.*

Je le convoquerai à la prise de vues. Pour peu qu'il ait l'esprit observateur... Maintenant, vous, occupez-vous de votre vieux zèbre. (*Il lui désigne l'appareil.*) Ça vous gêne peut-être de lui parler devant moi ?

LAMENDIN

C'est plutôt que je ne sais pas s'il a le téléphone.

Tandis que Lamendin consulte l'annuaire, apparaît sur la droite un coin de l'appartement de Le Trouhadec, là où se trouve le téléphone. Le Banquier se tient un peu à l'écart, mais prête l'oreille.

SCÈNE II

LAMENDIN *et* LE BANQUIER, *d'une part,*
LE TROUHADEC, *puis* SOPHIE, *d'autre part.*

LAMENDIN

Donnez-moi le Gobelins 47-67

Sonnerie du téléphone.

LE TROUHADEC, *entre en scène et prend l'appareil.*

J'écoute. J'écoute.

LAMENDIN

Monsieur Le Trouhadec ?

LE TROUHADEC

C'est bien moi.

LAMENDIN

Ici, Lamendin, Jacques, Patrice.

LE TROUHADEC

Plaît-il ?

LAMENDIN

Vous ne vous rappelez pas le monsieur de la mosquée ? Le monsieur qui doit fonder Donogoo ?

Le Banquier, qui a entendu, fait un geste de la tête qui veut dire : « Voilà ! Voilà ! »

LE TROUHADEC

Comment allez-vous, cher Monsieur ? Je commençais à me demander ce que vous deveniez.

LAMENDIN

Ça marche on ne peut mieux. Etes-vous libre samedi prochain à 3 heures ?

LE TROUHADEC

Oui.

LAMENDIN

Rendez-moi le service de lire, devant quelques personnes, une vingtaine de pages que je vous remettrai la veille.

LE TROUHADEC

Des pages... de vous ?

LAMENDIN

A peine de moi ! Je ne ferai qu'y développer un peu le très beau passage que vous avez consacré à Donogoo dans votre Tome III.

LE TROUHADEC

Est-ce bien le moment de rappeler l'attention là-dessus ?

LAMENDIN

Je vous crois que c'est le moment !

LE TROUHADEC

Pourquoi ne pas lire vous-même ?

LAMENDIN

Je me permettrai de vous offrir un cachet très honorable pour votre dérangement, vos frais de voitures.

LE TROUHADEC

Vous dites ?

LAMENDIN

Un cachet très honorable. (*Le Trouhadec est fort troublé. Lamendin reprenant avec énergie.*) Si vous refusez, c'est comme si vous rayiez vous-même Donogoo de la carte du monde. Le déshonneur, pour vous, définitif. Et le triomphe pour vos ennemis.

LE TROUHADEC

C'est que ma vie tout entière a été au service de la science et de la vérité.

LAMENDIN

Eh bien ? Justement.

LE TROUHADEC

Personne n'est à l'abri d'une erreur scientifique. Mais de là à en faire une sorte de tremplin...

LAMENDIN

De tremplin ! Vous venez de prononcer un mot de génie, mon cher maître. Ecoutez. Je ne peux pas dire au téléphone tout ce que je pense de la science et de la vérité. Mais une science qui se borne à constater platement ce qui existe... Ne coupez pas, Mademoiselle, oui, oui, je cause, je cause. C'est vous, maître ?

LE TROUHADEC

Oui.

Sophie entre en scène, attend.

LAMENDIN

Eh bien ! Je dis que c'est de la science pour pauvres bougres. Moi, je ne respecte que la science créatrice, celle qui crée la vérité, la science pour grands bougres.

SOPHIE, *avec autorité.*

Il faut que j'aille faire mon marché.

Le Trouhadec se tourne vers elle sans lâcher l'appareil.

LAMENDIN

Vous m'entendez ?

SOPHIE

C'est le jour du jarret de veau. Monsieur ne me dira pas comme l'autre fois...

LE TROUHADEC, *à Sophie.*

Je me moque du jarret de veau.

LAMENDIN

Voilà que nous avons quelqu'un sur la ligne ! Mon cher maître, est-ce vous ?

LE TROUHADEC

Oui, oui, c'est moi.

LAMENDIN

J'ai l'impression qu'on nous écoute. Je saute dans un taxi. Avant dix minutes je suis chez vous. Mais dites-vous bien en attendant que vous n'avez pas le droit d'empêcher la fondation d'une grande ville et l'épanouissement économique d'une vaste région au nom de théories périmées sur la vérité et l'erreur scientifiques. Je le dis. Tant pis pour le monsieur au jarret de veau qui nous écoute.

SOPHIE, *pincée.*

Qu'est-ce qu'il faut que je prenne à la place ?

LE BANQUIER, *se rapprochant.*

Alors ?

LAMENDIN, *au Banquier.*

Je vais chez lui pour achever de le convaincre.

LE BANQUIER

Non, non. Enlevez ça tout de suite.

LAMENDIN, *avec fougue.*

Mon cher maître, vite un mot ! Nous avons besoin de votre acceptation immédiatement. Nous, c'est-à-dire la Compagnie générale franco-américaine de Donogoo-Tonka qui vient à l'instant même de se constituer au capital de 75 millions de francs et qui, si vous refusez, peut crouler d'un moment à l'autre en entraînant des pertes irréparables pour l'épargne française et un scandale où votre nom sera forcément mêlé. Mais, si vous dites oui immédiatement, je vous garantis, de la part de la Compagnie générale, l'Institut dans six mois et cinq mille francs pour samedi.

LE TROUHADEC

Cinq mille francs ?

LAMENDIN

Oui, trois et deux, cinq.

LE TROUHADEC

Vous me laisserez retoucher le texte au point de vue des termes techniques ?...

LAMENDIN

Oui, oui.

LE TROUHADEC, *plus ferme.*

Et aussi pour maintenir la question dans cette atmosphère de vérité très large (*Il devient encore plus ferme.*) où je n'ai jamais cessé de la voir (*Il devient héroïque.*) et où je ne crains pas de faire front à mes adversaires.

LAMENDIN

Bravo ! mon cher maître ! Vous avez trouvé le ton ! Nous y sommes en plein ! (*Avec enthousiasme.*) Je vous embrasse (*Plus protocolaire.*) au nom de la Compagnie générale ! (*Avec feu.*) Bravo, merci, et en avant ! (*Il raccroche et se tourne plein de joie vers le Banquier.*) Ça y est ! Et vous savez qu'il est tout simplement épatant, mon vieux zèbre.

HUITIÈME TABLEAU

LA SALLE DES CONFÉRENCES

Une petite salle de conférences, avec un écran pour projections.

SCÈNE PREMIÈRE

LE TROUHADEC, LES AUDITEURS, *au premier rang desquels* LAMENDIN, LE BANQUIER, LESUEUR, BÉNIN, BROUDIER (*les deux derniers se donnent l'extérieur d'hommes de finance*).

Le rideau se lève pendant la conférence de Le Trouhadec et au milieu d'un mouvement oratoire.

LE TROUHADEC, *d'une élégance de mise sévère, mais parfaite, éloquent.*

... les énigmes pour le savant et les aubaines

pour le pionnier. (*Déclenchés par Bénin et Broudier, les applaudissements gagnent tout l'auditoire.*) Mais reposons nos esprits de ces problèmes qui n'en seront plus, je l'espère, pour la science de demain, en voyant l'humanité d'aujourd'hui, hardie et aventureuse, inaugurer par des moyens encore bien insuffisants la mise en valeur de ce merveilleux territoire (*Commence sur l'écran un défilé de chercheurs d'or, retour du travail.*) de Donogoo-Tonka, que son éloignement de la côte avait dérobé jadis à l'avidité des conquistadores, mais dont certaines traditions, au sein des tribus mi-nomades bolbothèques, karanis et momokaranis, semblent attester que les richesses en furent connues, ou au moins soupçonnées, dès l'époque précolombienne. (*La main de Le Trouhadec a désigné l'écran où se poursuit le défilé, émouvant de monotonie. L'obscurité se fait. Au bout d'un instant, quand la lumière revient sur la scène, Lesueur a pris la place de Le Trouhadec assis maintenant au premier rang de l'auditoire.*)

LE BANQUIER

Je vous présente M. Lesueur, le globe-trotter bien connu, qui revient de Donogoo et qui va nous faire part de ses impressions.

SCÈNE II

LESUEUR, L'AUDITOIRE

Lesueur parle sur un ton de vigoureuse familiarité.

LESUEUR

... Il ne faudrait pas vous imaginer, si un jour vous allez faire un petit tour là-bas, que vous trouverez le dernier confort dans les hôtels et de la cuisine au beurre. Jugez-en par les apparences. (*Il désigne l'écran où l'on projette la vue d'une cantine en planches.*) Voici la touche d'un des meilleurs restaurants de l'endroit. (*Aimable hilarité de l'auditoire, encouragée par Bénin.*) Ce qui n'empêche pas messieurs les habitués de s'y disputer à coups de pesos les bouteilles de gin ou même de champagne-imitation. L'abondance de l'or fait qu'on le gaspille et que tout atteint des prix absurdes. Je me rappelle avoir payé 42 francs une bouteille d'eau minérale que réclamait mon estomac ravagé par les conserves. (*Sensation et hilarité.*) En revanche, peu de frais de blanchissage. Pas de faux cols à coins cassés. Absolument inutile que vous vous embarrassiez d'un smoking. (*Rires.*)

Un browning de format moyen est plus indiqué. Non pas que vous ayez à craindre les malfaiteurs professionnels. Rien que d'honnêtes travailleurs. Mais les honnêtes travailleurs ont parfois des explications du genre de celle-ci (*Sur l'écran commence la projection d'une rixe entre chercheurs d'or.*) et on ne sait jamais ce qui peut arriver. (*La bande se déroule.*) Je vous recommande l'uniforme des policemen qui me paraît assez réussi.

Hilarité. Vifs applaudissements. Un instant d'obscurité.

SCÈNE III

LE BANQUIER, LAMENDIN, LESUEUR

Quand la lumière se refait, le groupe des auditeurs achèvent de quitter la salle pour passer dans une pièce voisine, entourant Le Trouhadec à qui ils prodiguent les marques de respect et les félicitations. Le Banquier, Lamendin, Lesueur restent seuls en scène et, avant de rejoindre les autres, ont une conversation rapide.

LESUEUR

Vous êtes contents ? Je m'en suis tiré à peu près ?

LAMENDIN

Très contents. Tu as été superbe.

LE BANQUIER

Oui, oui, gros succès personnel. J'ai été obligé de me pincer pour ne pas y croire.

LESUEUR

Maintenant, je boirais bien quelque chose. (*Désignant la salle voisine.*) Il y a un buffet ?

LAMENDIN

Oui, mais c'est dangereux. Ils vont te poser toutes sortes de questions...

LESUEUR

Alors ?

LAMENDIN

Alors, disparais...

LESUEUR

Mais j'ai soif !

LE BANQUIER, *lui indiquant une autre issue.*

Passez par ici. J'ai fait apporter du champagne à l'opérateur du cinéma. Vous boirez ensemble.

Lesueur sort.

LAMENDIN

Nous les rejoignons ?

LE BANQUIER

Une minute. Je veux vous soumettre deux ou trois idées pour la propagande. (*Il tire des papiers de ses poches.*) D'abord le prospectus, sur quatre pages. (*Il montre les emplacements sur une feuille pliée.*) Ici, les indications d'ordre financier. Ici un extrait de la conférence de Le Trouhadec, entre une vue d'un champ aurifère et une vue de la ville.

LAMENDIN

Dessin ou photo ?

LE BANQUIER, *un peu scandalisé.*

Photo ! Bon. Pour les journaux, publicité rédactionnelle : la causerie de votre ami, reprise sous la forme d'un grand reportage : « Un Français au pays de l'or » ou « Le Brésil mystérieux ». Publicité déclarée : des placards comme ceci, d'un style très sobre, genre Crédit Foncier, avec encore plus de tenue.

LAMENDIN

Parfait. Vous savez qu'ils doivent nous attendre.

Il veut l'entraîner.

LE BANQUIER

J'ai encore d'autres idées. Il faut que vous cherchiez de votre côté. (*Hâtivement.*) Une affiche très moderne, très accrochante. Vous ne seriez pas en relation avec un artiste comme Paul Colin ? On tâcherait de lui faire faire ça à l'œil. Enfin, on le paierait avec des actions. J'ai pensé aussi aux escaliers du métro, vous savez, sur le devant des marches : « Donogoo-Tonka, Donogoo-Tonka. »

Ils vont vers la porte.

LAMENDIN, *qui s'arrête.*

Très bien.

Il réfléchit.

LE BANQUIER

Des hommes-sandwichs...

LAMENDIN

... habillés en chercheurs d'or.

LE BANQUIER

Un peu excessif ! Non ?

LAMENDIN

Question de doigté... Des dessins animés dans les cinémas...

LE BANQUIER

Une robe que je ferai lancer par un couturier... (*Ils s'avancent vers la sortie.*) Donogoo-Tonka, pailleté or...

LAMENDIN

Un parfum : « Soirs de Donogoo ».

Ils sortent.

NEUVIÈME TABLEAU

LA RUE DE MARSEILLE

Quelques hommes, jeunes, d'un type social mixte, causent, les pieds dans des détritus. Une fille se tient à proximité et les écoute.

SCÈNE UNIQUE

LE PETIT BRUN, LE GRAND ET GRAS, LA FILLE, DEUX AUTRES HOMMES

LE PETIT BRUN

Je pars avec Joseph, le commis de l'épicerie. Nous avons les billets jusqu'à Rio.

LE GRAND ET GRAS

C'est une agence qui t'a fait le boniment ?

LE PETIT BRUN

Pas d'agence. J'ai étudié l'affaire moi-même, avec les documents que j'avais en main. Et ça m'a été confirmé par un ami à moi, qui a des parents haut placés. Tu as entendu parler du Klondyke ? Les milliardaires américains que tu vois débarquer ici avec des tas de belles valises et se faire conduire aux grands hôtels sont des gars qui ont commencé dans le Klondyke. Eh bien, c'est le nouveau Klondyke.

LE GRAND ET GRAS

Tu dis que ça s'appelle comment ?

LE PETIT BRUN

Donogoo-Tonka. Il y a une rivière. L'or est mêlé au sable. Moitié or, moitié sable, ou à peu près. (*Il montre le prospectus de la Donogoo.*) Ici, la chose est expliquée, plus scientifiquement, avec les termes. Par un type du Collège de France : Yves... Le... Trouhadec. Il est bien connu. Tu sais que les professeurs du Collège de France ne se dérangent pas facilement.

LA FILLE

J'ai connu un marin qui s'appelait Le Trouhadec.

LE PETIT BRUN, *à la Fille.*

Je t'en prie. Ne cause pas. Ces affaires-là, c'est comme la politique. Les femmes n'y entendent rien.

LA FILLE

Tu es tout de même bien content que je t'aie prêté de l'argent pour ton billet.

LE PETIT BRUN, *digne.*

Tu me l'as « prêté ». Je souligne. Je ne reçois pas d'argent des femmes.

DIXIÈME TABLEAU

LE CANAL D'AMSTERDAM

Le bord d'un canal, dans une ville du Nord de l'Europe, comme Amsterdam.

SCÈNE UNIQUE

JORIS, LE MARINIER,
DEUX AUTRES HOMMES, *fumant la pipe.*

JORIS, *couché à plat ventre, sur une carte qu'il a déployée à même le sol, et montrant ce dont il parle.*

Je sais que c'est par ici.

LE MARINIER

Tu vois le nom marqué ?

JORIS

La carte est trop vieille. Tiens, ici.

LE MARINIER

C'est loin de la côte.

JORIS

Comme Cologne.

LE MARINIER

Comme Cologne de la mer du Nord ? pf ! Dix fois plus.

JORIS

Non, comme Strasbourg.

LE MARINIER

Dix fois plus que Cologne.

JORIS

Trois fois plus...

LE MARINIER

On y va en remontant le fleuve ?

JORIS

Non. On coupe directement par ici.

LE MARINIER

Vous êtes combien ?

JORIS

Quatre.

LE MARINIER

Vous partez quand ?

JORIS

Mardi pour Londres. Et après, de Londres, samedi.

LE MARINIER

Et vous arrivez quand ?

JORIS

A Donogoo ? Je ne sais pas. A Rio, le 28.

ONZIÈME TABLEAU

LE CAFÉ DE SAIGON

Un café dans une ville coloniale, de basse latitude.

La terrasse, sous un vélum.

Trois coloniaux douteux et défraîchis, autour d'un guéridon, s'entretiennent à mi-voix, tandis qu'un garçon de couleur arrose le sol.

SCÈNE UNIQUE

LES TROIS COLONIAUX

LE PREMIER, *il parle avec mystère, nervosité, gestes furtifs, brusques tournements de tête et regarde à gauche et à droite.*

Je n'ai pas l'habitude d'engager mes amis dans

de mauvais chemins. Puisque Gonzalès a l'argent, partez.

LE DEUXIÈME

Mais qu'est-ce qui vous prouve qu'il ne soit pas déjà trop tard ?

LE PREMIER, *encore plus mystérieux.*

Mes renseignements. Le grand capitalisme international vient de découvrir Donogoo. (*Il exhibe avec précaution un prospectus de la Compagnie générale.*) Un coup d'œil là-dessus. (*D'une voix basse et sifflante.*) Soixante-quinze millions, rien que pour les travaux de voirie et d'embellissement. Vous entendez : d'embellissement. Soixante-quinze millions.

LE TROISIÈME

C'est bien ce que nous disions. Le pays est déjà trop avancé. Je ne vais pas là-bas pour me faire chauffeur de taxi ou portier d'hôtel.

LE PREMIER

Malheur ! Ces travaux-là ne commenceront peut-être pas avant un an. Soyez là-bas dans six semaines. Montez n'importe quoi : un bureau de change, une affaire de terrains, une « maison ». Vous m'en reparlerez.

LE DEUXIÈME

Venez avec nous.

LE PREMIER, *tapant sur sa cuisse droite.*

Je voudrais bien. Je suis en pleine crise. Cette putain de jambe me fait hurler deux heures par nuit. Impossible de me tenir à cheval ou à mulet.

LE DEUXIÈME

Oui, mais quand la crise sera passée ?

LE PREMIER, *hochant la tête.*

Un changement de temps, une fatigue et ça recommence. Je suis un homme fini, moi ; fini pour les grandes aventures. (*Il redouble de mystère.*) Mais écoutez. Gardez ça pour vous. J'attends cent mille francs de la métropole : un héritage qu'on va me régler. Je fonde ici même une agence d'émigration pour Donogoo, avec tout un système d'avances et de prêts. Hein ? Il doit falloir que j'y croie ? (*Leur prenant à chacun une main et, dans une exhortation pathétique.*) Mais dites-vous bien, mes petits agneaux, que, pendant que vous vous interrogez devant votre anisette, il y a, dans le monde entier, des gens plus décidés qui bouclent leur sac et qui seront là-bas avant vous !

DOUZIÈME TABLEAU

LE BAR AUTOMATIQUE DE SAN FRANCISCO

Un bar automatique étincelant. Peut-être à San Francisco. Deux hommes debout, une tasse à la main.

SCÈNE UNIQUE

LES DEUX HOMMES

LE PREMIER

Tout à fait décidé ?

LE SECOND

Oui.

LE PREMIER

Vous partez quand ?

LE SECOND

Demain.

LE PREMIER

Bateau ?

LE SECOND

Bateau. Chemin de fer. Caravane.

LE PREMIER

A combien ?

LE SECOND

A huit.

LE PREMIER

Tous Américains ?

LE SECOND

Cinq Américains, un Canadien, un Anglais, un Russe.

LE PREMIER, *tendant à l'autre un papier et un porte-mine.*

Ecrivez le nom ici. (*L'autre écrit.*) Dono ?...

LE SECOND

Donogoo-Tonka.

LE PREMIER

Donogoo-Tonka. (*Il sourit.*) Brésil ? Merci.

TREIZIÈME TABLEAU

LE RESTAURANT DU BOIS

Un restaurant au Bois de Boulogne. Les jardins. Lamendin et le banquier Margajat dînent ensemble.

SCÈNE UNIQUE

LAMENDIN, LE BANQUIER, UN GARÇON

Les deux dîneurs en sont arrivés au dessert. Ils fument de gros cigares. Beaucoup de bouteilles sur la table et aux alentours. Lamendin est en proie à une excitation molle, facile, charmante. Le Banquier est plus calme.

LAMENDIN, *trop volubile, et par instants trop pathétique.*

Avez-vous goûté ce marc ? Il est formidable.

Il lui en verse.

LE BANQUIER

Merci, merci.

LAMENDIN

J'ai, d'ailleurs, beaucoup de sympathie pour le marc. Il suffit de réfléchir à la façon dont c'est fait. Vous avez des alcools qui sont comme empêtrés dans une saveur beaucoup trop particulière. Tout en étant secs, ou soi-disant, ils prennent quelque chose de liquoreux. Certaines fines, par exemple, ou des armagnacs. Ils me font penser à... (*Il rit.*) Non. Il me venait une comparaison obscène, beaucoup trop obscène. Oh! la belle auto!

LE BANQUIER

Où ça ?

LAMENDIN

... Qui file entre les arbres. Pas mal de ligne, et la couleur surtout. Eh bien, c'est un peu une nuance comme ça que je voyais pour les fauteuils du grand salon d'attente, étant donné le fond du papier.

LE BANQUIER

Le tapissier vous a bien dit que ça n'existait pas en magasin.

LAMENDIN

Ce qu'il nous a mis n'est pas trop ignoble. Entre parenthèses, j'aime beaucoup mieux la tenture de votre bureau que celle du mien.

LE BANQUIER

Je vous ai tout laissé choisir.

LAMENDIN

Il y a décidément trop d'autos dans le Bois, même à cette heure-ci. Maintenant, on trouve au Bois l'impression qu'autrefois on allait chercher aux Champs-Elysées. Moi, quand j'achèterai une auto, je me demande si je m'adresserai à une marque très répandue ou, au contraire, à une fabrication en petite série. Ah ! dites donc, vous n'êtes toujours pas partisan du groom nègre ?... habillé de rouge ?

LE BANQUIER

Pour l'ascenseur ? Le type que nous avons fait très bien.

LAMENDIN

Il fait ministère...

LE BANQUIER

Donc, sérieux. Il va avec nos locaux.

LAMENDIN

Avec l'ancien état de nos locaux! Vous verrez quand les peintures seront finies. N'oubliez pas que le siège de la Donogoo, que l'hôtel à Paris de la Donogoo doit être quelque chose de résolument moderne. Je ne lui collerai pas n'importe quel rouge, à mon groom nègre. Ah ! mais non... Et sur sa casquette : « Donogoo-Tonka » bleu ou or. Chez Miguel Rufisque, il y avait un petit groom épatant. Voilà un homme, ce Rufisque! On peut rigoler de sa mise en scène. N'empêche qu'il m'a sauvé. (*Il boit.*) Et Bénin ! Vous le connaissez à peine, Bénin.

LE BANQUIER

Il a l'air très intéressant.

LAMENDIN

C'est un gaillard prodigieux, d'une fertilité d'esprit, d'une vitalité et d'une influence... je parle d'une espèce d'influx magnétique. Moi, quand je fais quelque chose, je pense au moins une fois sur deux : « Qu'est-ce que Bénin dirait de ça ? » Il faudra que je vous raconte un jour l'expédition d'Ambert. Je ne vous l'ai jamais racontée ? Garçon ! Où est-il passé ? Encore un métier qui ne me paraît pas des plus tuants, garçon de restaurant au Bois de Boulogne.

LE BANQUIER

Sauf certains jours, peut-être !...

LAMENDIN

Pas ici... J'aurais volontiers essayé d'un calvados... Je me rappelle soudain un calvados extraordinaire que j'ai bu... mais voilà, je ne sais plus où... je voudrais bien retrouver... (*Il cherche.*) Ah ! c'est bizarre !

Il rêve.

LE BANQUIER, *après un temps, doucement.*

Dites, c'est charmant de dîner ici, et on aurait tort de se faire de la bile. Mais ça ne suffit pas à justifier l'émission de 150 000 actions de 500 francs au porteur.

LAMENDIN, *qui revient de loin.*

Vous croyez ?... Oui... (*Il soupire.*) Evidemment.

LE BANQUIER

Notre hôtel est à peu près installé, dans un quartier des plus décents. Avec vos indications, les entrepreneurs se tireront très bien des quelques travaux de tapisserie ou de peinture qui restent à faire.

LAMENDIN

Je vous vois venir.

LE BANQUIER

Je vous promets de dénicher un groom nègre. Vous me laisserez un échantillon du rouge qui a vos préférences pour sa livrée...

LAMENDIN

Très touché, mon cher codirecteur, très touché...

LE BANQUIER

Soyons raisonnables. Jusqu'ici, tout s'est passé on ne peut mieux. Les capitaux n'ont pas boudé. Le rythme des souscriptions mérite les épithètes de réconfortant et de salubre. On ne nous a demandé que les justifications les plus innocentes. Mais...

LAMENDIN, *amer*.

Marchez, marchez !

LE BANQUIER

Vous allez me trouver un peu balourd, mais je me sentirais plus tranquille si je pensais qu'il y a déjà là-bas quelque chose...

LAMENDIN

Oui...

LE BANQUIER

Il n'en faudrait pas tellement. Des constructions légères, des rues provisoires, des palissades. Vous ne sauriez croire le plaisir que j'aurais à accrocher la première *vraie* photographie de Donogoo dans le hall de l'hôtel. (*Avec une honnête sincérité.*) En un sens, rien ne vaut tout à fait ce qui est vrai et réel. On y trouve une force, croyez-moi. (*Très onctueux.*) D'ailleurs, il m'avait semblé comprendre dès le début que vous-même...

LAMENDIN, *se lève et, avec un sombre éclat.*

Je sais bien, parbleu ! qu'il faudra finir par là ! Qu'il faudra finir par fonder cette sacrée ville d'enflés, d'entubés et d'apaches dont le monde se passe si facilement ! Si au moins ce vieil idiot de Le Trouhadec l'avait fourrée dans un endroit possible !... Au fin fond du Brésil ! Tout au bout de ce Tapajos de Dieu ! Pour ce que ça lui coûte, à lui !

LE BANQUIER, *conciliant.*

Il ne l'a pas fait dans un mauvais esprit.

LAMENDIN

Il ne manquerait plus que ça ! Tenez, je ne crains pas les voyages plus qu'un autre. Mais il n'y a pas un coin du monde qui m'attire moins que le Tapajos. Ce serait en plein Sahara, ou dans le désert de Gobi, ou même au Thibet, je me ferais une raison. Je supporte la chaleur sèche. J'aime les horizons dégagés. Mais l'arrière-Tapajos ! Ce doit être spongieux, grouillant de bestioles. L'équateur dans un placard !

LE BANQUIER

Vous aurez une traversée charmante.

LAMENDIN

Avec ma veine, je tomberai sur les moussons !

LE BANQUIER

Les moussons ne soufflent pas par là.

LAMENDIN

Qu'est-ce que vous en savez ? Ne me faites plus marcher avec la géographie !

LE BANQUIER

Les environs de Rio ont une grosse réputation.

LAMENDIN

Les environs de Nice aussi. Ce n'est pas pour ça que vous iriez faire le terrassier au milieu d'un tunnel des Hautes-Alpes. Ah ! vous avez choisi le beau rôle, vous !

LE BANQUIER

Vous n'êtes pas juste, cher ami. Dans tout ce qui était de ma compétence, ai-je marchandé ma peine ?

Entre le Garçon.

LAMENDIN

Ah ! vous voilà, garçon ! Servez-moi un vieux calvados !

Il se calme un peu.

LE BANQUIER

Ce que vous avez de meilleur, n'est-ce pas ? (*A Lamendin, affectueusement.*) Vous ne partirez pas seul. (*Bas, au Garçon.*) Et l'addition ?

LAMENDIN

Je pense bien.

LE BANQUIER

Il vous faudra vous entourer de collaborateurs qui vous plaisent, qui soient pour vous de bons et joyeux camarades. Nous ferons les choses largement.

LAMENDIN

Tant qu'il s'agira de boire des cocktails sur le bateau, ça ira bien. Mais vous les voyez, les joyeux camarades, quand je les aurai amenés en pleine brousse après quinze jours de marche sous les pluies tropicales et que je leur dirai : « C'est ici, mes enfants. Ici aussi bien qu'ailleurs. Tombez la veste et construisez-moi une ville rapidement, parce que je commence à avoir les pieds mouillés. »

LE BANQUIER

Ne dramatisez rien. La main-d'œuvre proprement dite, vous la chercherez sur place, dans la région.

LAMENDIN

C'est ça, je collerai des affiches dans la forêt vierge.

LE BANQUIER

Au besoin, vous prendrez deux ou trois équipes à Rio même. Ce que vous emmènerez d'ici, ce sont les cadres... les futurs éléments administratifs de la ville.

LAMENDIN

A qui voulez-vous que je propose une aventure pareille ? A des techniciens sérieux ? A des ingénieurs diplômés, nantis d'un emploi sûr et chargés de famille ? Arrivés là-bas, ils me tueront.

LE BANQUIER

Il y a dans toutes les professions des garçons un peu bohèmes, un peu irréguliers, qui seront plus sensibles à l'imprévu, au pittoresque de la chose qu'à quelques inconvénients passagers.

LAMENDIN

Autrement dit, j'en suis réduit à recruter les cadres administratifs de Donogoo-Tonka dans les cafés de Montparnasse.

LE BANQUIER

N'oubliez pas non plus que vous n'êtes pas rigoureusement obligé de fonder Donogoo aussi loin dans l'intérieur que Le Trouhadec l'a mis sur la carte. Il ne faudrait pas trop tricher, mais un petit déplacement de cent ou deux cents kilomètres passerait inaperçu, je crois. C'est le bon côté de la situation. (*Le Garçon apporte le calvados et l'addition que Lamendin prend machinalement. Le Banquier la lui arrache avec une aimable vivacité.*) Non, non, non. Je ne permettrai pas.

LAMENDIN, *tout en vidant son verre.*

Oh ! Et puis pourquoi toutes ces simagrées entre nous ? Comme si nous ne savions pas, vous et moi, que ce sont les actionnaires qui payeront !

Rideau.

Deuxième partie

PREMIER TABLEAU

LA SERRA

Un vaste paysage. Au premier plan, un ravin broussailleux. Des végétaux exotiques. Un lit de pierraille qui est peut-être aussi un sentier. En arrière, le terrain se relève et aboutit à une sorte de lande rocheuse, crayeuse, en partie dénudée, qui s'étend à perte de vue. Le soleil couchant fait rougeoyer au loin des épaulements de craie. On croit distinguer, presque à l'horizon, un petit groupe de masures appuyées à un renflement du sol auquel fait face un renflement analogue.

SCÈNE PREMIÈRE

LA PREMIÈRE BANDE D'AVENTURIERS,
LE JEUNE GARÇON

Cinq aventuriers, dans le ravin, excédés de fatigue, entourent un jeune garçon d'une quinzaine d'années, le pressent de questions, le malmènent.

Les bagages sont posés sur le sol.

LE CHEF, *au Jeune Garçon.*

Tu t'es assez moqué de nous. Voilà cinq heures que tu nous fais marcher.

PREMIER AVENTURIER

Plus de cinq heures, chef. Au moins six. Il était midi quand nous avons quitté la ferme. Et le soleil se couche.

LE CHEF

Au moins six heures. Nous allons être pris par la nuit. Tu t'es dit que tu te sauverais pendant que nous dormirions et que nous n'aurions plus ensuite qu'à chercher le trou où crever ? Cette nuit, je t'attacherai avec des cordes. Ha ! ha ! Tu as voulu faire le guide ? Eh bien, tu feras le guide, jusqu'au bout. Nous te lâcherons quand tu nous auras conduits à Donogoo. Pas dans le voisinage, aux premières maisons mêmes. Si nous crevons par ta faute, tu crèveras avec nous.

DEUXIÈME AVENTURIER

Et si tu refuses d'avancer, c'est moi qui t'abattrai d'un coup de revolver. N'est-ce pas, Mathieu ?

LE CHEF

Entendu. (*Le Garçon sanglote.*) Inutile de pleurer, ça ne fera que me mettre un peu plus en colère.

LE GARÇON, *larmoyant et hoquetant.*

A partir d'ici, je ne connais plus. Ce n'est plus mon pays.

LE CHEF

Mais alors, pourquoi nous y as-tu amenés ?

LE GARÇON

Je croyais.

Il sanglote de plus belle.

LE CHEF

Qu'est-ce que tu croyais ?

TROISIÈME AVENTURIER

J'ai envie de l'assommer tout de suite.

LE CHEF, *l'écartant.*

Ça n'avancerait à rien. Laisse-moi l'interroger. (*Au Garçon, plus doucement.*) Si tu fais ton possible pour me répondre, nous t'épargnerons. Qu'est-ce que tu croyais ?

LE GARÇON

Que c'était par ici.

TROISIÈME AVENTURIER, *serrant les poings.*

Idiot !

LE CHEF, *le calmant.*

Mais non. Il y a peut-être une indication à en tirer. (*Tâchant d'être paternel.*) Quand nous avons parlé de Donogoo, le nom t'a tout de suite dit quelque chose, puisque tu t'es offert pour nous guider. Tu as peut-être un peu trop présumé de toi, c'est sûr. Mais tu avais entendu conter à des gens que, Donogoo, c'était dans une certaine direction. Essaye bien de te rappeler, mon petit. Qu'est-ce que disaient les gens ?

Tous les Aventuriers se rapprochent et se penchent curieusement sur le Garçon. Le Chef leur fait signe de patienter.

LE GARÇON

Je crois que je me suis trompé de nom.

Tous font un geste de colère. Le Chef les arrête encore.

LE CHEF, *plus rude, mais se contenant.*

Assieds-toi ici. (*Aux autres.*) Laissez-le tranquille. (*Il grimpe la pente du ravin, atteint le niveau de la lande, découvre l'horizon. Il se retourne vers ses camarades restés en bas.*) Ah ! c'est curieux !

LES AUTRES

Quoi ?

Ils s'apprêtent à grimper aussi.

LE CHEF

Oh ! rien de bien extraordinaire. Mais ça forme une espèce de plateau jusque loin. Jusqu'à des rochers. Il n'y a pour ainsi dire pas d'arbres. Moi, j'ai l'impression que c'est un lieu de passage.

DEUXIÈME AVENTURIER

Tu vois une piste ?

LE CHEF

Pas exactement. Je te dis que c'est une impression que j'ai.

Le deuxième grimpe, le rejoint. Il regarde à son tour, tandis que le Chef redescend un peu.

DEUXIÈME AVENTURIER, *dubitatif.*

Oui... Ça étonne à cause du manque d'arbres. Au bout, ça forme un col, on dirait. C'est peut-être bien un passage, au moins pour les troupeaux. Mais, dis donc, il y a des maisons ! Oui, oui, regarde.

LE GARÇON, *ragaillardi.*

Je sais très bien ce que c'est. Mon père y est allé une fois. C'est ce qu'on appelle : « Les Vieux-Murs ».

LE CHEF

Pourquoi ? C'est inhabité ?

LE GARÇON

Oh ! oui. Depuis avant le temps des Portugais. Il n'y a même plus de toits.

TROISIÈME AVENTURIER

Attention ! (*Mouvement des autres.*) Voilà des gens. Ils sont au moins six ou sept.

Ils regardent vers la gauche.

LE CHEF

Ne restez pas dans le ravin. Montez tous ici. On ne sait jamais. Tiens ! ils ont un indigène avec eux... et trois mulets. Vous voyez bien que c'est un lieu de passage. Agitez vos mouchoirs. Qu'ils ne se figurent pas que nous sommes postés là pour un mauvais coup.

SCÈNE II

Les Mêmes, LE PETIT BRUN *et* SA BANDE.
L'INDIEN, *arrivant par la gauche du ravin.*

LE PETIT BRUN, *criant à la cantonade.*

Joseph ! reste avec les bêtes et ouvre l'œil ! (*Il avance vers le premier groupe.*) Ami ! Amigo ! Buenos días ! Good bye ! Bonsoir Messieurs !

Ses compagnons restent un peu en arrière.

LE CHEF

Bonsoir.

LE PETIT BRUN

Enchantés de la rencontre. (*Il tend la main au Chef.*) Vous connaissez le pays ?

LE CHEF

Pas très bien.

LE PETIT BRUN

Vous n'êtes pas de la région ?

LE CHEF

Pas du tout !

LE PETIT BRUN

C'est embêtant. Mes hommes, mes mulets et moi, nous sommes morts de fatigue. N'empêche que j'ai bien failli faire ouvrir le feu sur vous.

LE CHEF

Sur nous ? Pourquoi ?

LE PETIT BRUN

Avant-hier, nous avons été attaqués, au soir tombant, vers cette heure-ci. Ça n'a pas été bien grave, mais, enfin, ils nous ont chipé un mulet.

DEUXIÈME AVENTURIER *de la première bande.*

Vous allez loin ?

LE PETIT BRUN

Loin ! Je voudrais bien savoir si je vais loin, ou près. Je voudrais bien savoir où je vais, tout simplement.

TROISIÈME AVENTURIER *de la première bande.*

Les voyages n'ont pas l'air faciles dans ce pays-là.

LE PETIT BRUN

Et parlez-moi des guides ! Je traîne un Peau-Rouge depuis hier. Un vrai Peau-Rouge. (*A la cantonade.*) Joseph, envoie le Peau-Rouge ! (*Au Chef.*) Vous ne parlez pas Peau-Rouge, vous, Monsieur ?

LE CHEF, *riant.*

Non.

Le Peau-Rouge se présente.

LE PETIT BRUN

Moi non plus. J'avais pris celui-là parce que je lui trouvais l'œil excessivement futé et qu'il faisait semblant de tout comprendre par signes. En réalité, il ne comprend absolument rien, même pas les coups de pied au cul !

LE CHEF

Nous avons un guide, nous aussi. Il ne nous a rendu aucun service. Mais il connaît peut-être mieux la direction qui vous intéresse. (*Appelant le Jeune Garçon.*) Hep, toi, là-bas ! (*Au Petit Brun.*) Interrogez-le.

LE PETIT BRUN

Vous êtes très aimable, Monsieur. Avec votre permission... Maintenant, c'est peut-être que je n'ai pas la prononciation du pays. (*Au Jeune Garçon.*) Mon ami, est-ce que vous sauriez, par hasard, le chemin de... (*Il articule avec soin.*) Donogoo-Tonka ?

Là-dessus, tous les hommes de la première

bande sursautent et crient presque tous ensemble.

LES HOMMES DE LA PREMIÈRE BANDE

Donogoo-Tonka ! Donogoo-Tonka !...

LE PETIT BRUN *se méprend et jubile.*

Sauvés ! Sauvés ! (*Il se retourne vers les siens.*) Nous sommes sauvés ! C'est comme si je demandais la Canebière à Marseille. On ne connaît que ça. Joseph ! Nederland !

Les camarades du Petit Brun s'avancent, répétant eux-mêmes : « Donogoo-Tonka ! Donogoo-Tonka ! »

LE CHEF

Monsieur, je ne voudrais pas vous faire de la peine, mais nous ne connaissons pas Donogoo-Tonka, nous y allons.

LE PETIT BRUN, *plein de cordialité et de pétulance.*

Eh bien, faisons route ensemble ! (*Désignant quatre de ses hommes.*) Ces quatre-là que vous voyez, ce sont des Hollandais. Nous les avons ramassés à Rio où ils demandaient la route de

Donogoo à tous les sergents de ville. C'est eux qui m'ont fourni l'argent pour mes mulets et mes provisions. Si vous manquez de quelque chose, je suis là. En avant, Messieurs. Montrez-nous le chemin.

LE CHEF

Nous ne demanderions pas mieux, je vous assure, mais...

LE PETIT BRUN

Mais...

LE CHEF

Mais nous n'en avons aucune idée.

LE PETIT BRUN

Vrai ?... Vous cherchez aussi ?

LE CHEF

Exactement.

LE PETIT BRUN

C'est gai. (*A la cantonade.*) Joseph, ils cherchent aussi.

DEUXIÈME AVENTURIER

Chef, nous pourrions toujours aller jusqu'aux masures en question.

LE PETIT BRUN

Quelles masures ?

LE CHEF

Il paraît que ça s'appelle les Vieux-Murs et que ce sont des ruines très anciennes. Nous pourrions y passer la nuit. On y serait toujours aussi bien qu'en plein vent.

LE PETIT BRUN

Comme vous dites. Même nous y ferons du punch. Mes Hollandais ont de la très bonne eau-de-vie.

LE CHEF

Demandez l'avis de vos camarades.

LE PETIT BRUN

Nederland ? Pas la peine. Ils ont confiance. Joseph, on va aller faire du punch dans ce petit village qui est un peu en ruine.

LE CHEF

Allons-y ! (*Au Petit Brun.*) Et nos deux guides, qu'est-ce que nous en faisons ?

LE PETIT BRUN, *très naturel.*

Hé ! ils marcheront derrière.

DEUXIÈME TABLEAU

LA COUPOLE

Une salle dans le café de la Coupole, à Montparnasse.

Un nombreux public de familiers du lieu, buvant et fumant, écoute Lamendin. Parmi eux, Bénin, Broudier, Lesueur, adaptés à la circonstance.

SCÈNE UNIQUE

LAMENDIN, LE PUBLIC DE LA SALLE, LE PATRON, BÉNIN, BROUDIER, LESUEUR

LAMENDIN, *à une table, d'un ton de conversation.*

Je remercie d'abord le patron, qui a bien voulu nous prêter cette salle. (*Le Patron salue et se retire.*) Je crois réellement que l'affaire peut vous intéresser. On prétend que la mode est aux aventures. Mais avouez que, pour la plupart d'entre vous, ça reste une vague aspiration littéraire. Notre ami Pierre Mac-Orlan a fait une distinction fameuse entre les aventuriers actifs et les aventuriers passifs. J'ai l'idée qu'il a voulu sauver votre amour-propre. Ecoutez : j'apporte à quelques-uns d'entre vous, pas à tous, non, je n'ai pas de place pour tout le monde, une occasion qu'ils ne retrouveront jamais. Je pars dans trois semaines pour l'Amérique du Sud. Je vais diriger sur place les travaux d'extension, d'embellissement, de réorganisation, bref, d'urbanisme, d'une ville située dans l'intérieur. Une ville encore toute neuve. Donc, liberté de mouvements admirable. Rues, maisons, monuments publics, je décide de tout. Vous voyez d'ici ce qu'on peut faire. Je dispose d'un très gros budget. Je dis « très gros » parce qu'il est très gros. Je veux emmener avec moi une vingtaine de collaborateurs. J'aurais pu les recruter dans les milieux officiels, architectes, ingénieurs et le reste... étant donné les conditions que je pouvais leur offrir... Mais ça ne m'excite pas du tout, l'idée de travailler avec des lascars qui ne rêveraient que de me reconstruire là-bas le Grand-Palais, la gare d'Orsay et le boulevard Haussmann. Ça, pour moi, c'est rédhibitoire. Je m'accommoderais encore mieux de certains petits défauts partiels de compétence, de certaines insuffisances de préparation technique. Je peux utiliser des gens très variés. Pourvu qu'ils aient l'esprit ouvert, de la bonne humeur et qu'ils s'imprègnent de mes directives. Un peintre, par exemple... Eh bien ! il est évident que les besoins en peinture de chevalet ne sont pas encore très grands, là-bas. Mais rien ne m'empêche de lui confier l'étude d'un quartier, au point de vue des perspectives... des colorations d'ensemble à obtenir sur les façades... Un journaliste ? Je le caserai. N'oubliez pas que je dois mettre sur pied l'administration, et même la police. Enfin, ne vous laissez pas intimider d'avance. Venez parler avec moi, tout à l'heure, ceux que ça intéresse... Tenez, je m'étais mis d'accord avec Bourdelle pour l'exécution d'un vaste monument au centre de la ville, que j'appelais le monument aux Vivants... Hélas ! voilà un projet à reprendre ! Et il y en a d'autres.

UNE FEMME, *dans l'assistance.*

Vous acceptez les femmes ?

LAMENDIN

Pas pour l'instant, Madame (*Sans insister.*), à cause des fatigues du trajet et de quelques petites difficultés provisoires de logement... Voilà... je suis à votre disposition. (*Désignant Lesueur.*) Monsieur qui revient de là-bas vous donnera des détails, au besoin.

Les gens se lèvent, bavardent, s'approchent de la table de Lamendin.

BÉNIN, *montrant Broudier.*

Inscrivez-nous, M. Broudier, M. Bénin.

Ils échangent avec Lamendin de menus signes de compérage.

TROISIÈME TABLEAU

LA HALTE SUR LE TERTRE

Une plaine, mal couverte d'une végétation clairsemée. Des hauteurs boisées ferment l'horizon. Une mince rivière court sur la gauche.

La troupe d'Aventuriers, formée, au premier tableau, de la rencontre des deux bandes, fait halte. La plupart des hommes, accablés de fatigue et de découragement, vont se jeter contre le sol. Les deux chefs causent en avant.

SCÈNE UNIQUE

LES MÊMES *qu'à la scène II du premier tableau, sauf* LE JEUNE GARÇON

LE CHEF

Si nous les laissons s'arrêter, ils ne repartiront plus.

LE PETIT BRUN, *revenant à une idée qui le tourmente.*

Ecoutez, Mathieu. Il y a deux choses que je n'arrive pas à comprendre. D'abord, pourquoi est-ce que nous n'avons pas encore trouvé Donogoo ?

DEUXIÈME AVENTURIER, *à l'un des Hollandais.*

Défaites votre chaussure.

LE CHEF

Oui, je commence à me poser la question.

LE PETIT BRUN

On pourrait dire : parce que Donogoo est ici (*Il montre un point du sol.*) et que vous le cherchez là. Mais alors, moi je dis : « Comment se fait-il que nous nous soyons rencontrés ! »

DEUXIÈME AVENTURIER, *examinant le pied du Hollandais.*

Vous n'avez pas su étendre le suif.

LE CHEF

Oui.

LE PETIT BRUN

Ecoutez-moi bien, Mathieu. Quand je suis tombé sur vous, dans votre ravin — même que vous aviez l'air de fameux bandits — qu'est-ce qui vous avait poussés à venir là, plutôt qu'ailleurs ? Qu'est-ce qui vous avait indiqué votre direction ?

LE CHEF

La carte, au début.

Il se fouille.

TROISIÈME AVENTURIER, *au deuxième.*

Il ne peut plus avancer avec ce pied-là.

LE PETIT BRUN

Oui, moi aussi.

Plusieurs des Aventuriers se rassemblent.

LE CHEF, *montrant au Petit Brun une brochure de la Compagnie générale.*

Vous connaissez cette brochure ? et la carte qu'il y a dedans ?

LE PETIT BRUN

Oui, oui, j'ai la même. Seulement la mienne

est en français. A Rio, aviez-vous pris des renseignements ?

JOSEPH, *au groupe d'Aventuriers.*

Moi, je vous annonce que je ne marche plus.

LE CHEF

Oui, dans une agence de voyages. Ils m'ont dit : « Donogoo ? Nous connaissons ce nom-là... » Peut-être qu'ils le connaissaient pour avoir vu la réclame de la Compagnie. Je leur ai demandé : « Comment y va-t-on ? » Alors, ils ont regardé sur ma carte et ils m'ont dit : « Allez d'abord jusqu'à Goyaz. Ensuite, vous demanderez. »

Les autres discutent à demi-voix.

LE PETIT BRUN

Et après Goyaz ?

LE CHEF

Eh bien, en effet, j'ai demandé. Tantôt les gens ne savaient rien. Tantôt ils faisaient semblant de savoir. Quand ils me disaient quelque chose de trop idiot, je répondais : « Mais non ! ça ne peut pas être ça ! Il n'y a qu'à voir sur la carte. »

LE PETIT BRUN

Exactement ce que je disais.

LE CHEF

Ils finissaient toujours par être de mon avis. Et je les quittais en les remerciant.

LE PETIT BRUN

Exactement comme moi. (*Il réfléchit.*) Oui, mais ce n'est pas votre carte qui vous avait menés dans le ravin.

LE CHEF

Non, c'est le guide.

LE PETIT BRUN

Donc, il avait déjà entendu parler de Donogoo ?

LE CHEF

Non, il avait confondu.

LE PETIT BRUN

Avec quoi ?

LE CHEF

Je n'ai pas pu savoir. Et votre Indien ?

LE PETIT BRUN

Lui et ceux des cahutes voisines avaient eu l'air si peu étonnés de nous voir, équipés comme nous étions... Je me suis dit : « Il a dû en passer d'autres avant nous. Ce doit être le chemin habituel. »

LE CHEF

D'autres ? Nous, peut-être. La veille, nous avions traversé un hameau d'Indiens.

LE PETIT BRUN

Dans une éclaircie ? Pas très loin d'une rivière où il y avait beaucoup d'oiseaux ?

LE CHEF

Je ne me rappelle pas une rivière, ni des oiseaux.

Joseph, suivi de quelques autres, s'approche d'eux.

JOSEPH, *au Petit Brun.*

Tu sais que je ne marche plus ?

LE PETIT BRUN

Qu'est-ce que tu veux que ça me fasse ?

JOSEPH

Je tenais à prévenir le commandement.

LE PETIT BRUN

Adresse-toi plutôt à la Compagnie générale, bureau des réclamations.

JOSEPH

Tous les camarades sont du même avis. Si nous n'avons pas trouvé maintenant, c'est que nous ne trouverons jamais.

DEUXIÈME AVENTURIER

Plus nous allons par là, plus nous nous enfonçons dans la région déserte.

TROISIÈME AVENTURIER

En admettant même que nous ayons la force de continuer.

JOSEPH

Le gros Hollandais a les pieds en marmelade.

Deux de mes mulets boitent et le troisième tousse.

DEUXIÈME AVENTURIER

Il est absolument idiot de pousser plus loin.

LE CHEF

Tout à fait mon opinion.

LE PETIT BRUN

La mienne aussi.

Les autres sont un peu démontés.

JOSEPH

Alors ?

LE CHEF

Si ça peut vous être agréable, nous allons faire pendre l'Indien. N'est-ce pas, Monsieur ?

Il s'est adressé au Petit Brun.

LE PETIT BRUN

Oui. Et, si vous n'aviez pas renvoyé votre petit jeune homme dans sa famille, nous l'aurions pendu en même temps.

DEUXIÈME AVENTURIER

Assez de blagues. Etes-vous sûrs seulement que Donogoo existe ?

LE PETIT BRUN, *rigolant.*

Voilà.

TROISIÈME AVENTURIER

Voilà quoi ?

LE PETIT BRUN

Voilà la question. Si on était sûr qu'il existe, ça ferait tout de même plaisir.

DEUXIÈME AVENTURIER

Moi je propose ceci : il nous reste pas mal de vivres ; les mulets tiennent encore un peu debout ; reprenons le chemin de la côte, et vivement.

Silence. Les deux chefs se regardent, hésitants.

JOSEPH

Retournez si vous voulez, moi je ne retourne pas, ni les bêtes.

DEUXIÈME AVENTURIER

Qu'est-ce que vous chantez ? C'est vous-même qui avez déclaré le premier que vous ne marchiez plus.

JOSEPH

Justement ; je ne marche ni en avant, ni en arrière.

DEUXIÈME AVENTURIER

Alors quoi ? Vous préférez crever sur place ?

JOSEPH

Et pourquoi pas ? Crever pour crever, c'est moins fatigant. (*Silence.*) On ne vous empêche pas de partir.

DEUXIÈME AVENTURIER, *haussant les épaules.*

C'est vous qui avez les bêtes et les trois quarts des vivres.

JOSEPH

Ecoutez, moi je ne sais comment c'est, à Donogoo, mais je trouve qu'ici ce n'est pas mal.

TROISIÈME AVENTURIER

Il se moque du monde.

JOSEPH

Vous n'avez pas bien regardé. Et puis ça ne fait pas d'effet parce que ce n'est pas du tout arrangé. Mais l'endroit est gentil. Une rivière, pas trop grosse. Il doit y avoir du poisson. Du bois, pas trop, avec du gibier probablement. En somme, vous avez tout sous la main. (*Au Petit Brun.*) Et qu'est-ce qui te prouve qu'il n'y a pas d'or dans le sable de la rivière ?

LE PETIT BRUN

Tu parles sérieusement, Joseph ?

JOSEPH

Un peu. Juste ce qu'il faut. Les gens qui ont fondé Donogoo, en admettant que ça existe, hein ? ils n'étaient pas plus malins que d'autres.

DEUXIÈME AVENTURIER

Non, mais vous ne vous figurez pas qu'on va s'établir ici ? Enfin, chef, dites quelque chose.

LE CHEF, *qui a écouté en méditant.*

Moi, si vous y tenez, je veux bien aller plus loin.

PLUSIEURS VOIX, *énergiquement.*

Non, non, non !

LE CHEF

Je veux bien retourner aussi. Mais ce ne sera pas drôle, surtout si les camarades nous lâchent. On pourrait se reposer ici quelque temps. La saison est favorable.

JOSEPH

Avec tous les outils que nous avons et le bois en abondance, nous nous construirons des habitations princières.

LE CHEF

Quand nous serons reposés, nous verrons.

LE PETIT BRUN

Il peut se produire un coup de veine.

DEUXIÈME AVENTURIER

Quel coup de veine ?

LE PETIT BRUN

Un jour, nous pouvons tomber sur des gens qui sauront réellement où est Donogoo.

JOSEPH

Tu y crois encore, toi ?

LE PETIT BRUN

Un peu. Pas trop. Mais pourtant, ce type du Collège de France, ce Le Trouhadec, il ne nous aurait pas joué un tour pareil ? (*Il rit.*) Ou bien, si c'est l'habitude du pays que les rivières aient de l'or dans leurs sables, comme tu disais, autant celle-ci qu'une autre !

LE CHEF

Vous avez les outils, les instruments qu'il faut pour trier l'or ?

LE PETIT BRUN, *gaiement.*

Non. Nous comptions trouver ça à Donogoo.

LE CHEF

Nous aussi.

JOSEPH, *s'esclaffant.*

Dans les bazars !

TROISIÈME AVENTURIER

Quand il y a de l'or mêlé au sable, ça doit se reconnaître à l'œil nu ?

JOSEPH

N'y pense pas trop, mon garçon, ça te causerait encore des déboires. On s'occupera de l'or quand on n'aura plus rien à faire. Le dimanche après-midi. Viens plutôt m'aider à décharger les mulets.

Il s'éloigne.

LE CHEF

Alors, il faut s'y mettre tous. Défaisons les bagages. Que ce soir nous ayons un campement habitable.

Tous s'affairent, ouvrant les sacs, sortant des outils. Au bout d'un instant, Joseph revient avec deux autres qui rient. Il tient à la main un morceau de planche qu'il vient d'arracher d'une caisse, un marteau et un clou. Un des deux autres tient une boîte de cirage ; le dernier, un poteau. Joseph, trempant l'index dans le cirage, écrit sur la planchette : « Donogoo-Tonka », puis la cloue sur le poteau que tous trois enfoncent dans le sol. Les autres Aventuriers se rapprochent, s'arrêtent, comme saisis par une émotion singulière. Quelques-uns, sans y penser, enlèvent leur chapeau. L'Indien les regarde et paraît méditer.

LE PETIT BRUN, *se détache du groupe, à l'Indien.*

On t'a assez vu, file! Et va dire dans tes peuplades comment ça se passe à Donogoo !

Les Aventuriers, qui sont restés autour du poteau, poussent tous ensemble, en l'honneur de la patrie qui vient de naître, une énorme acclamation.

QUATRIÈME TABLEAU

LA GARE D'ORSAY

Le quai du rapide de Bordeaux, gare d'Orsay.

SCÈNE UNIQUE

LAMENDIN *et* LES PIONNIERS, *en tenue de départ,* LE BANQUIER MARGAJAT, LE TROUHADEC, BÉNIN, BROUDIER, LESUEUR, *qui sont venus leur dire adieu.* DIVERSES PERSONNES.

LAMENDIN, *à Bénin, Broudier, Lesueur.*

Alors, vous me laissez partir comme ça ?

LESUEUR

Nous irons te voir. Installe bien tout là-bas, et,

quand tu auras de quoi nous loger convenablement, fais-nous signe.

LE BANQUIER, *à Lamendin.*

Cher ami, je vous ai donné les billets, les lettres de crédit ?

LAMENDIN

J'ai tout. (*A l'un des Pionniers.*) Surveillez si les caisses d'armes et de munitions partent bien avec nous.

LE TROUHADEC, *à Lamendin.*

Vous me tiendrez au courant, n'est-ce pas, cher Monsieur. Quand le moment de mon élection approchera, envoyez-moi quelques dépêches datées de là-bas. C'est d'une telle importance.

LE BANQUIER

Dites quelques mots, monsieur Bénin.

BÉNIN

Vous croyez ?

LE BANQUIER

On s'y attend. J'ai d'ailleurs convoqué les journalistes et des photographes.

BÉNIN

Mais à quel titre parlerais-je ?

LE BANQUIER

Vous n'êtes pas embarrassé pour ça. (*Aux autres.*) Chut ! Chut !

Un cercle se forme. Bénin et les non-partants sont en face de Lamendin et des Pionniers. Les journalistes, les photographes, les badauds se pressent. Bénin prend la parole, avec une grande sobriété de ton et de gestes.

BÉNIN

Messieurs, c'est au nom de... la Ligue France-Donogoo-Tonka, organe des amitiés franco-donogoo-tonkiennes, et, permettez-moi d'ajouter, au nom de toutes les personnes présentes, que je viens saluer, à l'instant émouvant de son départ, la mission française chargée d'exécuter là-bas les grands travaux qui vont faire de Donogoo-Tonka et de sa région un des centres de civilisation les plus actifs et en même temps les plus raffinés du Nouveau Continent. Sur ce terrain chaudement disputé, l'influence française enfin l'emporte ; grâce à la Compagnie générale, dont l'un des directeurs, notre cher Lamendin, est précisément le chef de cette expédition pacifique ; grâce à l'opinion tout entière, qui pour une fois a vu nettement où étaient la vérité et l'avenir, grâce enfin et surtout au grand savant (*Il se tourne vers Le Trouhadec, les applaudissements éclatent.*) au grand savant qui a imposé Donogoo-Tonka à l'attention universelle, et qui, plus encore que vous ne le mesurez peut-être, Messieurs, est le créateur de ce pays. (*Nouveaux applaudissements. A Lamendin et aux pionniers.*) Au revoir, Messieurs. Vous laissez sur ce quai des amis fiers de vous, mais un peu tristes, et qui ne songent pas à cacher leur émotion. Mais ce qui vous attend là-bas, à Donogoo, ce sont des rues pavoisées, une population en habits de fêtes et délirante d'enthousiasme, pour qui votre arrivée signifiera la prospérité, les moyens de transport, l'éclairage intensif, le tout-à-l'égout, l'humanité, la justice.

Applaudissements. Magnésiums. On entend crier : « Bordeaux, en voiture ! »

CINQUIÈME TABLEAU

LE CAMPEMENT

Le campement des Aventuriers, une dizaine de jours après le troisième tableau. Le sol est nettoyé de broussailles sur une certaine étendue. Le plateau forme le centre d'un rond-point autour duquel se groupent les tentes et les premières cabanes. Du rond-point à la rivière, le passage des hommes et des bêtes a déjà marqué un chemin. Un autre chemin s'annonce qui joindra une prairie caillouteuse située en face de nous à trois cents mètres.

SCÈNE PREMIÈRE

LE CHEF (MATHIEU) *et* LES QUATRE AVENTURIERS, LE PETIT BRUN *et* LES TROIS AUTRES HOLLANDAIS.

Occupés à leurs travaux, ils se déplacent en scène ou hors de scène, suivant les néces-

sités. Le Troisième Aventurier et Joseph travaillent à une rigole d'écoulement.

TROISIÈME AVENTURIER, *à Joseph.*

Dire que je suis peut-être allé trente fois à la rivière et que je n'ai jamais eu le temps de regarder comment le sable était fait.

JOSEPH

Dieu t'en préserve. C'est malsain. Mathieu vous l'a dit encore hier. Si nous nous mettons à chercher l'or nous sommes perdus.

TROISIÈME AVENTURIER

Pourquoi ? Ça nous encouragerait, au contraire.

JOSEPH

Pourquoi ? Parce que si tu ne cherches pas, tu pourras toujours croire qu'il y en a. Tandis que si tu cherches...

TROISIÈME AVENTURIER

Eh bien !

JOSEPH

Eh bien, tu seras fixé.

Il rit.

TROISIÈME AVENTURIER

C'est que, moi, je suis venu ici pour chercher de l'or.

JOSEPH

Tu ne seras pas le premier qui sera venu quelque part pour une chose et qui y restera pour une autre. Va plutôt demander au gros Hollandais s'il se sert encore de la grande pelle.

LE PETIT BRUN, *passant près d'eux.*

Joseph, quel jour est-on arrivé ?

JOSEPH

Je ne me rappelle pas. Ça doit faire dix à onze jours. Il ne faudrait pas pourtant qu'on oublie comme ça les dates historiques. Ce qui manque à mon poteau, c'est un calendrier.

TROISIÈME AVENTURIER, *revenant avec la grande pelle.*

Il nous la prête jusqu'à midi.

LE CHEF, *à Joseph.*

Franz dit qu'avec sa hache il ne peut pas tailler plus d'une vingtaine de planches par jour.

JOSEPH

Alors ?

LE CHEF

Alors (*Il montre un abri en construction sur l'avenue de la Prairie.*) que pour l'écurie vous devriez vous contenter de pieux ronds.

JOSEPH

Moi, je veux bien. Le vent passera à travers. Et ce ne sera pas très joli sur l'avenue principale.

LE CHEF, *au Petit Brun qui revient.*

C'est accroché ?

LE PETIT BRUN

Oui, dans la grande cabane.

LE CHEF

Ça se conservera ?

JOSEPH

La grosse bête ? Le jambon fumé se conserve bien.

LE CHEF

Ce n'est pas la même viande.

LE PETIT BRUN

Il prétend qu'il connaît à fond ce travail-là.

LE CHEF

En tout cas, nous ne mourrons pas de faim. La bête pesait bien deux cents kilos.

On voit arriver au trot l'un des Hollandais, Joris, qui paraît fort ému.

LE PETIT BRUN

Qu'est-ce qu'il y a ?

JORIS

Des hommes qui arrivent!

LE CHEF

De quel côté ?

JORIS, *montrant la direction par où eux-mêmes sont venus.*

Par là.

LE CHEF

Nombreux ?

JORIS

Cinq ou six. Ils ont plusieurs bêtes.

LE CHEF

Ils sont loin ?

JORIS

Non. Cinq cents mètres.

LE PETIT BRUN

Qu'est-ce que ça peut être ? (*A Joris.*) De quoi ont-ils l'air ?

JORIS

On ne distingue pas bien. Ils ont des fusils.

LE CHEF

Il y a peut-être des convois qui circulent de temps en temps dans toutes ces forêts.

JOSEPH

Ou des bandes.

LE CHEF

Des bandes ?

JOSEPH

Des bandes de bandits. Ça existe, pas seulement dans les journaux illustrés.

LE CHEF

Il faut rassembler notre monde. Nous n'avons rien pour appeler. (*Il crie.*) Ho! ho! ho! hoho!

JOSEPH

Il manque aussi une cloche à mon poteau.

LE PETIT BRUN, *à Joris.*

Ramène tous les camarades ici, vite!

LE CHEF

Où sont les fusils ?

LE PETIT BRUN

Dans la deuxième cabane. C'est un tort, d'ailleurs. Deux ou trois d'entre nous devraient toujours rester armés.

LE CHEF

Vous avez votre revolver ?

LE PETIT BRUN, *se dirigeant vers la deuxième cabane.*

Oui. Vous aussi ?

Les hommes de Donogoo ont lâché leurs outils, quitté hâtivement le travail et se rassemblent sur le rond-point.

LE CHEF, *à tous.*

On ne sait pas ce que c'est. Prenez les fusils. (*Le Petit Brun les leur passe.*) N'ayons pas l'air de craindre une attaque. (*Au deuxième et au quatrième.*) Vous deux, qui tirez bien, mettez-vous ici. (*Il leur désigne un point un peu en arrière et à gauche.*) Gardez vos fusils en main et soyez prêts à tous risques. Nous autres, restons là, les fusils à notre portée. (*Il pose le sien sur le sol.*) Mais comme des gens qui causent tranquillement.

Les deux hommes désignés ont pris leur poste, comme deux carabiniers en faction sur la voie publique. Les neuf autres se groupent devant le poteau. Ils ont posé leurs armes près d'eux, le moins ostensiblement qu'ils ont pu. L'écriteau « Donogoo-Tonka » les domine et les nomme.

SCÈNE II

LES MÊMES, LES NOUVEAUX ARRIVANTS

Débouchent par la droite cinq hommes, avec deux ânes et un mulet, et l'Indien de l'autre jour. Le tout, fourbu. Leur premier regard est pour le poteau. Ils se montrent le nom, puis ils considèrent le groupe, le campement.

LE PREMIER NOUVEAU, *saluant.*

C'est ici, Donogoo ?

LE PETIT BRUN, *montrant l'écriteau.*

Dame ! Vous savez lire ?

Deux des Nouveaux s'assoient de fatigue, de déception.

PREMIER NOUVEAU

Mais la ville même ?

LE PETIT BRUN

Eh bien ?

PREMIER NOUVEAU

C'est plus loin... derrière ?

JOSEPH

Non. Plus loin, derrière, c'est la banlieue. La ville, c'est ici.

Les Nouveaux se regardent d'une façon très expressive, mais ils sont trop exténués pour réagir.

PREMIER NOUVEAU

Mais alors... c'est tout petit, Donogoo ?

LE PETIT BRUN

Ce n'est pas excessivement grand. Ça se développe.

PREMIER NOUVEAU

Il y a combien d'habitants ?

JOSEPH

Un certain nombre.

PREMIER NOUVEAU

Où sont-ils ?

JOSEPH, *avec un geste évocateur.*

Un peu partout. Il y en a qui travaillent, d'autres qui se promènent.

PREMIER NOUVEAU

Vous vous plaisez ici ?

JOSEPH

Si on ne s'y plaisait pas, on n'y serait pas.

LE PETIT BRUN

Le climat est très sain. Le gibier abonde. C'est l'endroit rêvé pour la cure d'air et la villégiature.

Une aimable hilarité s'est emparée des Fondateurs. Les autres sont plus piteux.

DEUXIÈME NOUVEAU

Mais l'or ?

JOSEPH

Hé ?

PREMIER NOUVEAU

Oui. On trouve de l'or ?

Les Fondateurs se regardent gaiement.

LE PETIT BRUN

Encore pas mal.

DEUXIÈME NOUVEAU

De quel côté ?

LE PETIT BRUN, *très vague.*

Par là...

DEUXIÈME NOUVEAU, *insistant.*

Où, par là ?

JOSEPH

Du côté de la rivière, parbleu !

DEUXIÈME NOUVEAU

J'ai mes instruments. Je vais aller voir.

JOSEPH, *inquiet.*

Voir quoi ?

DEUXIÈME NOUVEAU

La teneur du sable en métal.

Il défait son paquetage.

JOSEPH

Vous savez que ce n'est pas facile. Il faut avoir l'habitude.

DEUXIÈME NOUVEAU

J'ai l'habitude.

Il s'éloigne vers la rivière, avec ses instru-

ments. Les deux factionnaires, obéissant à un instinct naissant de gendarmes, font un pas vers lui, comme pour lui barrer la route.

LE CHEF

Laissez passer.

LE PETIT BRUN, *montrant l'Indien.*

C'est lui qui vous a conduits ?

PREMIER NOUVEAU

Les deux derniers jours, oui. Il nous a menés sans se tromper.

JOSEPH, *rigolant.*

Il a de la mémoire.

LE CHEF

Et les jours précédents, qui vous avait montré le chemin ?

PREMIER NOUVEAU

Je me demande comment nous ne nous sommes pas égarés vingt fois. Heureusement que d'autres étaient passés avant nous. On nous indiquait la direction qu'ils avaient prise.

JOSEPH

D'autres ?... (*Se ravisant.*) Oui, oui, oui.

Les Fondateurs se regardent.

PREMIER NOUVEAU

Nous voulions attendre un convoi qui venait derrière nous. Mais il tardait trop.

LE CHEF

Un convoi... pour Donogoo ?

PREMIER NOUVEAU

Bien sûr, et même assez important.

LE CHEF, *après un échange de regards avec les Fondateurs.*

Ah oui ?

PREMIER NOUVEAU

Ils sont vingt-huit, avec je ne sais combien de

mulets. C'est d'ailleurs ce qui les a ralentis. Ils apportent tout ce qu'il faut pour débiter le bois et construire eux-mêmes leurs baraquements, parce qu'ils ont entendu dire qu'on avait de la peine à se loger.

LE PETIT BRUN

Ça, c'est vrai. Et je me demande comment on fera dans quelques semaines. On nous annonce des arrivées de tous les côtés.

TROISIÈME NOUVEAU

On peut donc recevoir des nouvelles, ici ?

LE PETIT BRUN

Heu... oui... oui, naturellement.

TROISIÈME NOUVEAU

Vous n'avez pas de ligne télégraphique ?

JOSEPH

Nous n'en voulons pas. On mettra la T.S.F., mais plus tard. Pour le moment, ce sont des courriers qui font le service.

PREMIER NOUVEAU

Vous allez pouvoir nous loger ?

JOSEPH

Nous tâcherons.

LE PETIT BRUN

Si j'ai un conseil à vous donner, c'est d'acheter du terrain tout de suite.

PREMIER NOUVEAU

Acheter du terrain ? (*Il regarde alentour.*) Mais il y en a de libre tant qu'on veut.

LE PETIT BRUN

Dans la brousse. Au diable. En ville, tous les emplacements sont pris. (*Avec un geste vers l'avenue de la Prairie.*) Les délimitations ne sont pas marquées, parce que monsieur (*Il désigne Mathieu.*) a tout ça sur un registre. Notez que les prix sont encore très bas. Mais, dans les semaines qui vont venir, il se produira une hausse vertigineuse.

PREMIER NOUVEAU, *se retournant vers ses hommes.*

Qu'est-ce que vous en dites ?

TROISIÈME NOUVEAU

On en reparlera ce soir. Je voudrais bien manger quelque chose.

Approbation des autres.

PREMIER NOUVEAU, *aux Fondateurs.*

Nous n'avons plus beaucoup de vivres... autant dire plus du tout... (*Un peu inquiet.*) Vous ne pourriez pas ?...

JOSEPH

Vous en céder ? Avec plaisir. (*Désignant le Petit Brun.*) Voilà justement le directeur du magasin général d'alimentation.

LE PETIT BRUN, *se dirigeant vers la grande cabane.*

Que désirez-vous ? Viande fumée ? Premier choix ? Deuxième choix ? Il me reste même quelques boîtes de saumon en conserve et du hareng saur. Un peu cher, je vous préviens, le hareng saur. Nous sommes si loin de la côte.

PREMIER NOUVEAU, *après avoir consulté les siens.*

Donnez-nous de la viande fumée, deuxième choix, et du pain.

JOSEPH

Du pain... Ça, nous ne sommes pas très riches en pain. Un arrivage de farine que nous attendions s'est perdu en route...

Mouvement. Le Deuxième Nouveau revient de la rivière. Les Fondateurs sont assez gênés.

TROISIÈME NOUVEAU, *au Deuxième.*

Eh bien ?

DEUXIÈME NOUVEAU

Ce n'est pas extraordinaire. Pas extraordinaire du tout. A moins que je ne sois tombé sur un mauvais coin. Le pour cent d'or est nettement inférieur à la moyenne des bons placers connus.

Tous écoutent avidement, Fondateurs et Nouveaux.

PREMIER NOUVEAU

Mais, enfin, il y en a ?

Les Fondateurs se regardent avec le sentiment du prodige. Ils font effort pour se dominer, sauf le Troisième.

TROISIÈME AVENTURIER, *vivement au Deuxième Nouveau.*

Il y a de l'or ?

JOSEPH, *non moins vivement.*

Cette question ! Qu'est-ce que tu veux dire ? (*Il l'écarte. Au Deuxième Nouveau.*) L'endroit où vous êtes allé passe pour mauvais.

LE CHEF

D'ailleurs, toutes les recherches sont à reprendre. Nous nous entendrons avec ces Messieurs.

LE PETIT BRUN, *distribuant la nourriture.*

Nous acceptons les dollars. Ça fera quatre dollars, en tout. (*Au Chef.*) Un point délicat, c'est la concession des champs aurifères.

LE CHEF

Nous nous arrangerons.

LE PETIT BRUN

Bien sûr que nous nous arrangerons, surtout avec ces messieurs qui ont l'air très sympathiques. Mais je peux bien les mettre au courant. L'usage, ici, c'est moitié, moitié.

Les Nouveaux mangent pendant ce temps.

PREMIER NOUVEAU

C'est-à-dire ?

LE PETIT BRUN

Vous choisissez l'endroit, s'il est encore libre, vous l'exploitez, avec votre matériel à vous. Vous ne devez au propriétaire que la moitié de l'or.

DEUXIÈME NOUVEAU

Du métal fin, poids net ?

LE PETIT BRUN, *pas très fixé.*

Oui.

PREMIER NOUVEAU

Mais quels sont les propriétaires ?

LE PETIT BRUN

On vous les fera connaître. Certaines concessions ont déjà été retenues par correspondance.

JOSEPH, *aux Nouveaux.*

Vous ne voulez rien boire ?

LE PETIT BRUN

Nous avons de l'excellente eau-de-vie hollandaise, d'origine. Malheureusement, avec les frais de transport et les assurances, c'est à ne pas oser y toucher.

Les Nouveaux se consultent du regard, n'osant demander le prix.

LE CHEF, *riant.*

Laissez ! J'en offre un petit verre à chacun de ces messieurs. Vous mettrez ça sur mon compte.

LE PETIT BRUN, *piqué d'amour-propre.*

Je n'en ferai rien. Le magasin général d'alimentation a les moyens de faire une politesse à de nouveaux clients.

Il va chercher la bouteille.

PREMIER NOUVEAU, *montrant les deux hommes qui, tout en prêtant l'oreille à ce qui se disait, ont gardé leur allure de carabiniers en service.*

Ceux-là, qu'est-ce que c'est ?

JOSEPH

La police. De braves garçons. De temps en temps, il faut leur glisser le pourboire, bien entendu.

SIXIÈME TABLEAU

LE PAQUEBOT

Un des ponts du paquebot qui porte les Pionniers.

SCÈNE PREMIÈRE

QUELQUES PIONNIERS, *plus ou moins affalés dans des poses diverses, la plupart en proie au mal de mer. Trois ou quatre s'efforcent de lire, de dessiner.*

PREMIER PIONNIER

Il paraît que la terre est en vue.

DEUXIÈME PIONNIER

Tant mieux ! Tant mieux !

PREMIER PIONNIER

Tu n'as pas envie d'aller jeter un coup d'œil ?

DEUXIÈME PIONNIER

Ah ! non, alors.

PREMIER PIONNIER

On prétend que c'est un des plus beaux paysages du monde.

DEUXIÈME PIONNIER

Tu n'as pas idée de ce que je m'en fous !

PREMIER PIONNIER

Pourtant, tu n'es pas malade ?

DEUXIÈME PIONNIER

Je ne suis pas ce qu'on appelle malade, franchement malade ; ma force à moi c'est que je ne dégueule jamais. Non, mais je suis au bord, tout le temps au bord. Et je suis poursuivi par l'odeur des cabines, des cuisines, des je ne sais pas quoi. Tu n'as pas ta pipe dans ta poche ?

PREMIER PIONNIER

Non, pourquoi ?

DEUXIÈME PIONNIER

Parce que je sens une sale odeur de pipe... Ne te mets pas du côté de l'air. Laisse bien l'air m'arriver. Pour que je continue à ne pas dégueuler, il faut que l'air m'arrive régulièrement (*Il fait avec la main un petit geste de ventilation.*) et pas d'odeurs.

PREMIER PIONNIER

Il n'y a pourtant pas à se plaindre ! La traversée n'a pas été mauvaise.

DEUXIÈME PIONNIER

Ça m'est égal. Comme c'est la dernière fois que je la fais.

PREMIER PIONNIER

Tu comptes ne jamais retourner en France ?

DEUXIÈME PIONNIER

Non, jamais. Ou j'attendrai qu'ils inventent quelque chose.

PREMIER PIONNIER, *au troisième qui affecte de dessiner.*

Et toi, Clipoteaux, ça va ?

CLIPOTEAUX

Très bien, ça bouge un peu, sans ça je me croirais à la terrasse de la Rotonde.

PREMIER PIONNIER

Viens-tu voir le paysage ?

CLIPOTEAUX

Merci. Je préfère finir ça.

PREMIER PIONNIER

Il n'avance pas vite, ton dessin.

CLIPOTEAUX

Je n'ai pas les crayons qu'il me faut. Crois-tu que j'en trouverai à Donogoo-Tonka ?

PREMIER PIONNIER

Je suppose. Ils n'ont peut-être pas toutes les sortes !

CLIPOTEAUX

J'en achèterai à Rio, en passant.

SCÈNE II

Les Mêmes, LAMENDIN, UN STEWARD

Lamendin paraît à l'extrémité du sundeck. *Il a les mains croisées derrière le dos. Il est majestueux, mais sombre. Il ne regarde personne, que la mer. Napoléon sur le bateau de l'exil. Ceux des pionniers que le mal de mer n'accapare pas trop l'observent.*

PREMIER PIONNIER

Il n'a pas l'air gai, le patron.

CLIPOTEAUX

Oui, depuis deux ou trois jours, il fait une drôle de tête.

DEUXIÈME PIONNIER

C'est peut-être la mer qui le travaille, lui aussi.

CLIPOTEAUX

Non, je ne pense pas.

Tout à coup Lamendin tourne les talons et se dirige résolument vers les Pionniers. Il affermit son maintien et sa voix, mais on le sent plein du désir d'être ailleurs.

LAMENDIN

Messieurs... (*Il répète.*) Messieurs, j'ai quelques mots à vous dire. Rapprochez-vous... (*Il ajoute, en considérant les victimes du mal de mer.*) autant que possible. Hum ! Oui... la terre est en vue. Le débarquement n'est plus qu'une question de quarts d'heure. Quand je vous ai proposé de faire partie de cette mission, je ne vous ai pas caché qu'il ne s'agissait pas d'une simple promenade... Le matériel que nous avons emporté en témoigne. La Compagnie générale nous a confié une tâche des plus sérieuses. Vous le sentez bien ?... Mais vous vous faites peut-être certaines idées... Oui, la ville de Donogoo-Tonka n'est pas exactement ce que vous pourriez croire... Il y a beaucoup à faire. Beaucoup. Presque tout. Autant dire, comme Napoléon, tout.

DEUXIÈME PIONNIER, *à qui la moindre émotion est mauvaise.*

Il aurait pu choisir un autre moment pour nous dire ça.

LAMENDIN

Moins vous vous attendrez à quelque chose de... de souriant, d'accueillant, et mieux ça vaudra. Ne craignez pas d'imaginer la savane, la brousse, à des centaines et des centaines de lieues de la côte... Nous n'aurons guère à compter que sur nous, même au point de vue société...

PREMIER PIONNIER

Enfin, elle existe tout de même, votre ville ?

LAMENDIN

Elle existe, oui, mais, comment vous dire ? plutôt à l'état de projet... Vous saisissez ? (*Ils commencent à saisir, ce qui provoque des réactions diverses. On entend : « On s'est foutu de nous ! — Il est bien temps de nous dire ça ! — Dans ces conditions, nous ne marchons plus ! » Le Deuxième Pionnier qui, depuis le milieu du discours de Lamendin, tenait la main sur le haut de sa poitrine, vomit soudain avec beaucoup de force et à grande distance, tandis qu'un autre rigole en se tapant la cuisse et en tendant le bras vers la mer. Lamendin, avec sollicitude.*) Votre camarade est indisposé, reconduisez-le à sa cabine. (*Un seul des Pionniers trouve le courage de se dévouer à cette tâche.*) Voilà. Je vous devais ces quelques informations complémentaires. Faites-en votre profit... Nous arrivons dans la rade, qui est extrêmement belle. Vous auriez tort de manquer ça.

Il tourne les talons et regagne le sundeck. *Les pionniers échangent, en tumulte, des propos violents, sauf celui qui rigole, d'un rire de plus en plus vaste, et semble toujours chercher, du côté de la houle, un témoin digne d'apprécier une situation aussi désopilante. Plusieurs quittent le pont comme pour regagner leurs cabines. Peu à peu l'émotion s'apaise. Le front de mer de Rio approche.*

PREMIER PIONNIER, *après y avoir jeté un coup d'œil.*

Ce n'est réellement pas mal. Je vais aller boucler mes bagages.

UN STEWARD, *circulant entre les chaises du pont.*

Préparez les passeports pour la visite.

On est dans le port de Rio. On longe les môles, en ralentissant. Soudain, un vaste panneau d'affichage apparaît sur le quai : Tous les samedis, départ pour Donogoo-Tonka par Uberaba et Goyaz. Agence Meyer-Kohn, 6, rua Santo-Antonio, *Lamendin manifeste la plus vive émotion. Il cherche quelqu'un autour de lui. Il se précipite sur le Steward.*

LAMENDIN

Monsieur, Monsieur... où est cette rue Saint-Antonio, je vous prie ?

Il lui montre le panneau.

LE STEWARD

A deux minutes du quai de débarquement, derrière ce long bâtiment jaune que vous voyez.

LAMENDIN

Bien, merci. (*Il lui donne un riche pourboire. Aux Pionniers qui sont dans le voisinage.*) Vous m'attendrez à la douane. Vous vous occuperez de mes bagages. Je ne tarderai pas.

Il disparaît.

SEPTIÈME TABLEAU

L'AGENCE MEYER-KOHN

Les bureaux de l'agence Meyer-Kohn. Installation habituelle d'une agence de voyages. Affiches diverses, parmi lesquelles les plus voyantes concernent Donogoo-Tonka. Derrière une petite table chargée de brochures coloriées, prospectus, etc., et surmontée d'un petit écriteau à pied où se lit : Donogoo-Tonka, *un employé reçoit les clients que cette direction intéresse.*

SCÈNE UNIQUE

LAMENDIN, L'EMPLOYÉ, UN CLIENT,
D'AUTRES CLIENTS, *à divers bureaux.*

L'Employé achève de s'occuper du Client qui précède Lamendin, bouillant d'impa-

tience. Au même bureau derrière Lamendin, un autre Client.

L'EMPLOYÉ, *un peu agacé.*

Ja, ja wohl !

LAMENDIN

Dire que voilà vingt minutes que j'attends. (*Il trépigne. Au Client.*) Mais dépêchez-vous donc, Monsieur.

LE CLIENT, *se retournant.*

Moment ! Moment ! (*Prononcé à l'allemande. Puis à l'Employé.*) Und Sie haben ja meinen Namen eingeschrieben ? mit dem Vornamen, nicht wahr ?

LAMENDIN, *très haut.*

Mais oui ! Mais oui !... (*A part.*) Si au moins je comprenais.

L'EMPLOYÉ, *à Lamendin.*

Patientez, Monsieur, chacun son tour.

LAMENDIN

Il ne sait pas à qui il parle, celui-là.

L'EMPLOYÉ, *au Client, avec l'accent sud-américain.*

Alles ist ganz richtig bestellt, mein Herr. Für Samstag acht und zwanzigsten. Mögen ganz ruhig abgehen.

LE CLIENT

So. Danke sehr. So.

Il se décide à partir.

LAMENDIN

Ah !

L'EMPLOYÉ

Alors, Monsieur ?

LAMENDIN

Il est bien exact que l'agence organise des départs pour... (*Il est si étonné, si peu sûr d'être éveillé qu'il se passe la main sur le front et que sa voix s'étrangle.*) Donogoo-Tonka ?

L'EMPLOYÉ, *montrant en ricanant l'écriteau, les affiches.*

Il me semble.

LAMENDIN

Il y a bien réellement une ville... de ce nom-là ?... Je veux dire... (*L'Employé le regarde avec sévérité et inquiétude.*) enfin, oui, il n'y a pas de confusion, pas d'erreur possible ? Vous l'avez vue ? Vous y êtes allé, Monsieur ?

L'EMPLOYÉ, *même jeu.*

Mais... non, Monsieur... pas moi.

LAMENDIN

Enfin, les gens que vous y envoyez y arrivent bien ?...

L'EMPLOYÉ, *net.*

Monsieur, c'est un billet que vous voulez ?

LAMENDIN

Plusieurs, probablement, mais, pour cela, je reviendrai. Dites, Monsieur ? Il y a longtemps que la ville existe ?

L'EMPLOYÉ, *sévère.*

Pendant que vous y êtes, vous n'allez pas me

demander de vous décrire les curiosités de Donogoo.

LAMENDIN

C'est juste, Monsieur. Pardonnez-moi... Mais l'agence, depuis combien de temps organise-t-elle ces départs ?

L'EMPLOYÉ

Depuis le 15 septembre. Le service sera modifié au 15 avril.

LAMENDIN

Et comment y va-t-on ?

L'EMPLOYÉ, *récitant.*

Par le train, jusqu'au point terminus de la ligne. Ensuite par la piste, à dos de mulet, en convoi accompagné. Le billet donne droit au transport gratuit de 50 kilos de bagages, mais non à la nourriture. La durée totale du trajet n'est pas garantie. Mais il doit être prévu un minimum de cent vingt heures. Pour un groupe de plus de quinze personnes, il peut être organisé un départ spécial.

LAMENDIN, *qui a toujours le vertige.*

Merci, Monsieur, je reviendrai.

L'EMPLOYÉ, *changeant de ton.*

Je vous engage à prendre vos billets assez longtemps à l'avance. Pour samedi, il ne reste plus de places. Et pour le samedi suivant, je n'en ai plus que cinq.

LAMENDIN

Ah ! merci, Monsieur, merci...

Il lui donne un pourboire.

L'EMPLOYÉ, *aimable.*

C'est comme pour vous loger là-bas. Retenez quelque chose par radio.

LAMENDIN

Oui ?

L'EMPLOYÉ

Vous n'aurez pas la réponse, parce qu'ils n'ont pas encore de poste émetteur suffisant. Mais il y a des chances pour qu'ils vous gardent des places de dortoir, surtout si vous êtes plusieurs. Pour les chambres séparées, il ne faut pas y compter. Il y en a peut-être une quinzaine en tout, dans les deux hôtels. Et hors de prix, naturellement.

LAMENDIN, *qui enregistre avec une stupeur renouvelée.*

Merci, Monsieur, merci.

Il fait un pas pour se retirer.

L'EMPLOYÉ, *tout disposé à bavarder maintenant.*

D'ailleurs, je vous recommande plutôt le *Majestic*. Au *London and Donogoo*, vous êtes, en bas, sur la terre battue ; tandis qu'au *Majestic* vous avez des planchers partout.

Lamendin se retire en chancelant.

HUITIÈME TABLEAU

LA DIRECTION DE LA DONOGOO A PARIS

Le bureau de Margajat.

SCÈNE PREMIÈRE

LE BANQUIER, LE TROUHADEC

LE TROUHADEC, *pressant.*

L'élection est fixée au 11 du mois prochain, irrévocablement. Je n'ai plus aucun moyen de la faire reculer. Il me faut des preuves arrivant de là-bas, des preuves ! Sinon, tout le tapage de publicité que vous avez fait ici se retournera contre moi. Savez-vous ce qu'insinuent les partisans de Massepain ?

LE BANQUIER

Non.

LE TROUHADEC

Qu'au lieu de faire oublier mon erreur, j'ai eu le front d'en battre monnaie ; que je me suis fait le complice, grassement rétribué, d'une bande de pilleurs de l'épargne publique et que — je cite textuellement une phrase qui a été prononcée — que j'ai montré par là qu'un géographe très insuffisant pouvait faire une très suffisante fripouille.

LE BANQUIER

Ils disent assez bien ce qu'ils veulent dire, vos collègues.

LE TROUHADEC

Ne plaisantez pas, je vous en prie. La situation est terrible pour moi.

LE BANQUIER

Et vous vous figurez que pour moi elle est rose ? Trois délégués des actionnaires attendent, là, que je les reçoive. Les titres continuent à baisser, doucement mais sûrement. Il reste encore dans les banques pour cinq ou six millions d'actions à écouler. (*Montrant le salon d'attente.*) Qu'est-ce que vous voulez que je leur dise ?

LE TROUHADEC

Il faudrait que les travaux commençassent de toute urgence ; qu'il y en eût des échos dans la presse du pays ; que nous reçussions de M. Lamendin des câblogrammes circonstanciés... Mon Dieu ! Mon Dieu !

LE BANQUIER

Bien sûr. Mais Lamendin est parti beaucoup trop tard. Il doit être tout juste arrivé à Rio.

LE TROUHADEC

Pourvu qu'il ne perde pas de temps ! L'avez-vous bien aiguillonné, bien harcelé ?

LE BANQUIER

Voici mes deux derniers radios. Il a dû les recevoir à bord, il y a trois jours : SITUATION TRÈS DÉLICATE. BAISSE EN BOURSE. BRUITS FACHEUX. FAITES L'IMPOSSIBLE POUR OBTENIR RÉSULTATS TRÈS PROCHAINS. Et ceci : ELECTION TROUHADEC COMPROMISE. ADVERSAIRES VENIMEUX. URGENCE DOCUMENT DÉCISIF POUR ANÉANTIR CALOMNIES. Votre texte condensé.

Il lui passe les minutes.

LE TROUHADEC

Il n'a pas répondu ?

LE BANQUIER

Que voulez-vous qu'il réponde ? Ce n'est pas en mettant le pied sur le quai de débarquement qu'il verra Donogoo jaillir du sol. Tout ce que je demande, c'est qu'il me plante, avant deux mois, quelques mètres de palissades n'importe où et trois baraques. Je tiendrai le coup jusque-là, en arrosant les feuilles de chantage.

LE TROUHADEC

Mais, dans quinze jours, Massepain sera élu.

LE BANQUIER

Ça ! (*Il va pour dire : « Je m'en fous », mais, devant la tête désespérée du géographe, se reprend.*) S'il ne vous faut que cent billets pour vous acheter les voix nécessaires, je vous les avance.

LE TROUHADEC

Que dites-vous ? Une élection à l'Institut ne s'achète pas.

LE BANQUIER

Ça ne se donne qu'au mérite ? (*Il rigole.*) Alors, ça devient grave. (*Il se lève.*) Tenez, je vais recevoir mes actionnaires en votre présence. Si, si ! Ils ne vous connaissent pas. Ça vous distraira de vos soucis. Vous êtes un peu trop personnel.

SCÈNE II

Les Mêmes, LES TROIS ACTIONNAIRES

LE BANQUIER

Entrez donc, Messieurs. Asseyez-vous. En quoi puis-je vous être agréable ?

PREMIER ACTIONNAIRE

Vous devinez certainement la raison de notre démarche. Depuis plus d'un mois, les cours de la Donogoo s'effritent régulièrement.

LE BANQUIER

Tout le marché est mauvais.

PREMIER ACTIONNAIRE

Pas à ce point-là. Evidemment, les meilleurs titres sont exposés à des baisses passagères. Le plus fâcheux, ce sont les bruits qui courent. Vous savez ce qu'on prétend ?

LE BANQUIER

Que les champs aurifères sont déjà épuisés ?

Il rit.

PREMIER ACTIONNAIRE

Si ce n'était que cela !

LE BANQUIER

Avant même de discuter, je vous ferai remarquer que nous ne sommes pas société d'exploitation minière. Donc pas directement intéressés. Notre affaire à nous, c'est la ville.

PREMIER ACTIONNAIRE, *après échange de regards avec les deux autres.*

Justement.

LE BANQUIER, *continuant à faire la bête.*

J'ai lu aussi, dans une feuille de chou, qu'à

peine arrivée là-bas notre mission avait été attaquée par les habitants. — Qui ça ? Les blancs ? Les indigènes ? — Or, Messieurs, notre mission a dû débarquer à Rio hier soir ou ce matin. A Rio !

Il rit.

PREMIER ACTIONNAIRE, *ramassant tout son courage.*

On va plus loin. D'aucuns ne craignent pas d'affirmer que la ville de Donogoo (*Il syllabe.*) n'existe pas ; ni la région non plus par conséquent.

Dans son coin, Le Trouhadec baisse la tête et se ratatine.

LE BANQUIER, *écartant les bras.*

Ça !... Ça !...

PREMIER ACTIONNAIRE

On accuse un savant officiel d'avoir trempé dans cette imposture.

Le Trouhadec cherche un trou.

LE BANQUIER

Quand on se met à affirmer ou à nier... Il y a

bien des gens qui ont prétendu que Napoléon n'avait jamais existé. Voyons, Messieurs ! Napoléon ! dont nous pourrions citer par cœur presque toutes les batailles...

PREMIER ACTIONNAIRE, *essayant de couper.*

Oui, oui.

LE BANQUIER

L'homme d'Austerlitz, d'Iéna... Un homme que les grands-pères de certains d'entre nous ont connu...

PREMIER ACTIONNAIRE

Il n'est pas question de Napoléon, Monsieur. Quand recevrez-vous le premier rapport de la mission Lamendin ?

LE BANQUIER

Bientôt, je pense.

PREMIER ACTIONNAIRE, *aigu.*

Pardon. Ils pourraient vous envoyer un premier rapport sur l'état de la ville à leur arrivée, l'aspect extérieur des choses, l'activité visible... que sais-je ?

LE BANQUIER

Ça non plus, ça ne s'improvise pas.

PREMIER ACTIONNAIRE

Un bon journaliste, après une promenade de quelques heures, saurait écrire là-dessus un article d'impressions très substantiel, très probant ; pourquoi n'avez-vous pas adjoint à votre mission un journaliste d'un grand journal ?

LE BANQUIER, *feignant la colère.*

Ecoutez, Monsieur, puisque vous sauriez tout faire et faire faire beaucoup mieux que moi, prenez ma place. (*Il se lève, arpente son cabinet.*) Vous auriez construit le canal de Suez en trois semaines, équipé en moins de temps encore le port de Bahia ou de Rosario. Moi, je ne suis pas de cette force-là. Je ne vous montrerai pas, dès aujourd'hui, les photographies des tramways en marche que je compte installer là-bas ou de l'hôtel des postes dont le plan est dans les bagages de la mission. Non. (*Avec une noble ironie.*) A moins que vous ne désiriez vous repaître de photographies truquées et de documents imaginaires ? Alors, adressez-vous ailleurs. Vous serez servi. Je ne suis décidément pas l'homme qu'il vous faut. (*Un peu interdits par cet éclat, les Actionnaires se *taisent. Le petit groom, d'une délicate nuance rouge, entre, après avoir frappé, et remet un pli à Margajat, puis se retire.*) Un radio ? Tiens. (*A mi-voix.*) De là-bas, justement. (*Ses mains tremblent en ouvrant le pli. Il jette un rapide regard vers Le Trouhadec. Il lit. Bien qu'il s'efforce de rester impassible, son émotion, sa stupéfaction deviennent telles que ses yeux s'écarquillent, que son visage fait toutes sortes de grimaces, son corps toutes sortes de gestes saugrenus. Il essuie avec son mouchoir la sueur qui perle à son front. Il déboutonne rapidement son gilet et le reboutonne avec lenteur. Le Trouhadec et les autres sentent que c'est grave et attendent anxieusement. Enfin, il articule, en cherchant ses mots d'abord, mais bientôt avec une excitation joyeuse.*) Messieurs, vous ne direz pas que ce radio arrive pour les besoins de la cause. Il est signé de M. Lamendin lui-même. Je lis. NE CONÇOIS PAS VOS INQUIÉTUDES... Oui, je lui avais télégraphié avant-hier... c'était mon devoir... pour lui signaler la campagne engagée ici contre nous, l'urgence d'y répondre par des faits... Vous voyez que je n'avais pas attendu vos remontrances. Bref : NE CONÇOIS PAS VOS INQUIÉTUDES. DONOGOO PARAIT-IL PLEINE PROSPÉRITÉ. EN DÉBARQUANT RIO AI VU ÉNORME AFFICHE TEXTE SUIVANT. STOP. « TOUS LES SAMEDIS DÉPART POUR DONOGOO-TONKA PAR UBERABA ET GOYAZ. AGENCE MEYER-KOHN. » STOP. ME SUIS RENDU DEUX FOIS AGENCE. CONVERSATIONS ME FONT CRAINDRE AU

CONTRAIRE DIFFICULTÉ POUR NOUS LOGER DONOGOO. AFFLUENCE EXCESSIVE. CROISSANCE TROP RAPIDE. CRISE LOYERS. GRANDE CHERTÉ VIE. VAIS PARTIR URGENCE. ACHÈTERAI TOUS TERRAINS DISPONIBLES. STOP. CROIS NÉCESSAIRE AGIR MASSIVEMENT POUR GAGNER DE VITESSE SPÉCULATEURS. TÉLÉGRAPHIEZ SI D'ACCORD. STOP. VŒUX ÉLECTION TRIOMPHALE TROUHADEC. AMITIÉS. LAMENDIN. (*Il leur remet le radio.*) Voici, Messieurs, relisez, scrutez. Je ne pense pas que vous puissiez mettre en doute l'authenticité de cette dépêche.

Pendant la lecture de la dépêche, Le Trouhadec est devenu, par degrés, un autre homme. Il s'est levé. Il a envie de parler, mais il ne trouve pas de mots. On se demande s'il ne va pas mourir de joie. Les trois Actionnaires, rapprochés et penchés, mastiquent lentement le texte de la dépêche.

PREMIER ACTIONNAIRE

Vous pensez bien, Monsieur, que nous sommes tout les premiers à nous réjouir. Il me semble même discerner maintenant l'origine de la campagne menée ici.

LE BANQUIER, *devenu conciliant.*

Parbleu !... Je reconnais que nous avons été un peu longs. Défaut national : trop de conscience dans les études préliminaires. Trop de soin pour asseoir solidement les bases financières de l'entreprise. La spéculation étrangère s'est dit : « Pendant que ces Français fignolent, comme toujours, risquons un grand coup de flibuste. » Et si, au moment même où notre mission arrivait à Donogoo, ils avaient pu, à Paris, nous briser les reins, avouez que c'était bien joué.

LE TROUHADEC

Je découvre aussi le pourquoi d'une autre campagne et de son acharnement.

LE BANQUIER

Hein ? Jusque dans les milieux scientifiques, ces milieux que vous m'affirmiez tout à l'heure, avec votre candeur de grand honnête homme, incapables d'écouter la voix de l'argent ! Et le plus triste, c'est qu'il s'agissait d'argent étranger. (*Présentant Le Trouhadec.*) Yves Le Trouhadec, Messieurs, l'homme qui, il y a dix ans, a donné Donogoo-Tonka au monde civilisé et qu'aujourd'hui encore on en récompense par des insultes. Heureusement que l'Institut saura réparer ça dans quelques jours.

Les Actionnaires s'inclinent.

PREMIER ACTIONNAIRE

Et vous ne craignez pas que là-bas il ne soit déjà trop tard, que...

LE BANQUIER

Non, non, Lamendin est un homme d'action incomparable. On en juge rien que par le ton de sa dépêche. D'ailleurs, je vais le soutenir à fond. Vous êtes bien de mon avis ?

LES ACTIONNAIRES

Absolument, absolument !

LE BANQUIER, *réfléchissant.*

Il est parti avec le titre de codirecteur de la Compagnie et chef de mission. C'est un peu plat. Il faut que nous lui donnions du panache, surtout auprès de ces populations imaginatives. J'ai envie de lui conférer par télégramme le titre de gouverneur général. Qu'en pensez-vous ?

PREMIER ACTIONNAIRE

Oui, oui, ça me paraît excellent.

Les autres approuvent.

LE BANQUIER, *il écrit.*

« Gouverneur général ». Vlan ! Et qu'il nous fasse marcher tout ce monde-là à la trique !

NEUVIÈME TABLEAU

DONOGOO-TONKA

La place principale. D'étonnantes transformations se sont accomplies. Au poteau primitif s'est substitué un mât altier qui porte une oriflamme. Les constructions se sont multipliées. Les anciennes sont devenues méconnaissables sous les remaniements, adjonctions, embellissements divers. On remarque le Donogoo Central Bar, taverne assez vaste, avec une terrasse ombragée d'un vélum et de deux petits arbres ; le Café de Paris ; le London and Donogoo-Tonka's Splendid Hotel, orné de deux inscriptions : « Proximité immédiate des champs d'or » et « Le plus ancien établissement de Donogoo-Tonka ». Sur l'ancien chemin de la Prairie, maintenant avenue de la Cordillère, le Majestic Hotel, avec un calicot traversant l'avenue, qui porte : « Chambres séparées à partir de $ 5 ». Tout près du Splendid, une échoppe sert de bureau à la Meyer-Kohn.

SCÈNE PREMIÈRE

NOMBREUX HABITANTS DE DONOGOO-TONKA,
en groupes mobiles et changeants.

Au début, l'on entend les conversations de trois groupes principaux. Le premier, composé de trois buveurs assis à la terrasse du Central et de trois ou quatre comparses debout, qui les écoutent. Le second, près du mât, composé de cinq ou six hommes, dont certains des Nouveaux du cinquième tableau de la deuxième partie. Le troisième, plus en avant et à gauche, où figurent plusieurs des Fondateurs : Mathieu (le Chef), le Petit Brun, Joseph, Joris. Divers propos, cris, etc., émanent des passants. Les trois conversations et les propos incidents, dont le texte est donné successivement ci-après, se produiront donc simultanément sur scène. Certains silences, certains départs de réplique pourront être placés de façon qu'une phrase soit perçue plus nettement et plus isolément que d'autres. Mais cet arrangement ne devra pas devenir trop sensible. Il faudra, au contraire, qu'à divers moments se forme pour l'audi-

toire un mélange de propos tout à fait fortuit et naturel, une confusion vivante de paroles.

TROISIÈME BUVEUR

Bah ! Pourquoi ça ?

PREMIER BUVEUR

Parce que déjà, au début mais pense donc : ça ne pourra s'éviter que par miracle ! Tu ne réfléchis pas. Six femmes tombant dans tout ça. Les six premières femmes à Donogoo. Moi je te dis qu'il faudra une discipline de fer, comme dans un cinéma où il y a le feu ou sur un bateau qui coule. Pas la moindre tricherie, pas le moindre passe-droit.

QUATRIÈME BUVEUR

Et le gouverneur général ?

LE CHEF

Ils viennent par la piste du haut ou par celle du bas ?

DEUXIÈME BUVEUR

Quoi, le gouverneur général ?

QUATRIÈME BUVEUR

Il ne va pas mettre son nez là-dedans ?

DEUXIÈME BUVEUR

Ça ne le regarde pas.

QUATRIÈME BUVEUR

Peut-on savoir d'avance ce qui le regardera ou ne le regardera pas !

DEUXIÈME BUVEUR

Qu'est-ce qui se passe ? Vous croyez que c'est déjà eux ?

JORIS

Par celle du haut.

LE CHEF

Ils ont fait exprès de couper l'étape, tu crois ?

JORIS

Oui, c'est l'Indien qui l'a dit à Smith. Le gouverneur a donné l'ordre d'astiquer les effets, les armes, de rectifier le chargement des bêtes.

PREMIER BUVEUR

Mais non, c'est Mathieu et le Petit Brun qui parlent...

Ils se lèvent et vont se joindre au rassemblement général qui se forme.

LE TROISIÈME *du deuxième groupe.*

Tiens, voilà les Français qui font des discours.

UN PASSANT

Si, si, ils approchent. De là-haut on les voit.

UN AUTRE PASSANT

Ridera bene chi ridera l'ultimo.

UN AUTRE PASSANT

Ils sont au moins une

JOSEPH

J'en reviens à mon idée. Dès que nous avons eu la nouvelle, nous aurions dû réunir la population et faire voter.

LE CHEF

Faire voter quoi ?

UN HOMME

Le baraquement qu'on achève là-bas, c'est pour eux.

UN AUTRE HOMME

Je croyais que c'était celui des femmes.

PREMIER HOMME

Non, celui des fem-

cinquantaine. Ils ont des fusils automatiques et des mitrailleuses sur les mulets.

mes, c'est l'autre, plus loin, à droite.

ENSEMBLE

L'AUTRE PASSANT

Look. We shall be sheltered from the sun.

L'AUTRE HOMME

C'est la Compagnie aussi qui envoie les femmes ?

TROISIÈME HOMME

Pensez-vous ! C'est une entreprise particulière.

UN PASSANT

Ich könnte sie monatlich nicht unter zwanzig...

UN CRIEUR

Demandez *Donogoo Express*. L'arrivée du gouverneur général. Convoi de femmes annoncé.

Il vend une feuille minuscule, polycopiée.

JOSEPH

Il en sera épaté lui-même. Il pensera : « Quelle bande de couillons ! » Comment, il se présente là, dans vingt minutes, il ne trouve personne à qui parler ? Personne qui lui demande : « Mais enfin, Monsieur, c'est très joli, ça, gouverneur général, mais il faudrait savoir au juste de quoi il retourne. Nous ne sommes pas des forçats de la Guyane. On nous gouvernera si nous voulons bien. »

UN PASSANT

Moi, je n'ai pas envie de rester ici. Nous ne verrons rien du tout.

LE PETIT BRUN

Il est toujours temps de le lui dire.

JOSEPH

Ça ne vaut pas une bonne délégation bien

en règle, qui serait allée l'attendre en avant de la ville : « Une seconde, Monsieur, remettez-vous. Très flattés de votre visite. Puisque notre ville vous intéresse, nous vous la montrerons. Si vous avez des propositions à nous faire de la part de la Compagnie générale, nous les écouterons avec bienveillance. »

LE CHEF

Vous ne l'auriez toujours pas empêché d'entrer. Il a retenu la moitié du Majestic et du Splendid. C'est son droit.

JOSEPH

Pardon, il ne serait entré qu'avec notre permission et poliment.

UN AUTRE PASSANT

La cérémonie a lieu ici, vous savez ?

LE PASSANT

Quelle cérémonie ?

QUELQU'UN

Cuento marchar mañana por la mañana.

UN JOYEUX DRILLE, *circule entre les groupes en produisant une sorte de cri d'oiseau.*

Cuit, cuit, cuit...

JOSEPH, *au Petit Brun.*

Toi qui as de la facilité de parole, je ne comprends pas que tu n'aies pas organisé cette réunion.

LE PETIT BRUN

Parce que je n'aurais pas pu tout dire.

JOSEPH

Et pourquoi ?

LE PETIT BRUN

La fondation de Donogoo et tout ce qui s'ensuit, c'est une affaire entre nous, les Fondateurs. Tu n'as pas intérêt à ce que les autres examinent ça de trop près. Sans compter qu'ils nous jalousent déjà bien assez.

LE CRIEUR

Donogoo Express... Demandez. Arrivée du gouverneur général... Convoi de femmes annoncé.

UN AUTRE JOYEUX DRILLE

Arrivée du gouverneur, à cheval sur une femme !

UN PASSANT

Venez donc! Voilà le Petit Brun qui fait un discours.

DIVERSES VOIX

Chut ! Chut !

JOSEPH

Alors, tu préfères te taire et laisser ce monsieur le gouverneur général s'installer ici comme chez lui ? Ça ne te fait pas mal au cœur de ne pas lui crier, à ton gouverneur général : « Si nous n'avions pas été là pour vous faire une ville où vous trouvez de l'or... »

LE CHEF

Ce n'est pas nous qui avons trouvé l'or.

JOSEPH

C'est tout comme... « ... je me demande un peu où vous auriez été le prendre, votre foutu Donogoo ? » Je ne te reconnais plus.

LE PETIT BRUN

J'aime mieux lui dire ça un jour entre quatre-z'yeux.

Voyant le rassemblement qui commence à se former autour d'eux.

PREMIER JOYEUX DRILLE

Cuit, cuit, cuit...

DIVERSES VOIX

Chut !

LE PETIT BRUN

On nous écoute.

JOSEPH

Justement, profites-en.

LE CHEF

Oui, vous devriez parler. Ce n'est pas isolément qu'on se défendra. Allez-y ! Allez-y !

LE PETIT BRUN

Oh ! moi, je veux bien !

Propos divers.

SCÈNE II

LE PETIT BRUN, LES MÊMES, *rassemblés.*

LE PETIT BRUN, *montant sur une chaise du Central que Joseph lui apporte.*

Dans quelques minutes, le délégué de la Compagnie générale va être là avec son escorte et tout le bazar. Il paraît qu'il s'appelle « gouverneur » et même « général », lui aussi. Ça fait beaucoup de généraux. Peut-être qu'il est gouverneur de ses puces et général comme les démangeaisons au derrière quand on mange trop de conserves, ce qui nous arrive plus qu'à notre tour, hé ? Bref, il ne nous a pas demandé notre avis. Et peut-être qu'il a aussi bien fait, parce qu'on lui aurait dit de ne pas se fatiguer comme ça, en venant dans des pays qu'on n'a pas encore fini d'installer, où on n'a pas encore mis les ascenseurs et le chauffage central. Mais voulez-vous savoir ce que nous en pensons, nous autres qui sommes ici depuis le début et qui avons trimé plus dur que personne ? Eh bien, c'est que nous ne l'avons pas fait pour les beaux yeux de la Compagnie et qu'on ne nous roulera pas. Vous comprenez, mes garçons, le plan de la Compagnie, ce n'est pas compliqué : nous prendre tout ici en échange d'une poignée de noisettes, et ensuite nous embaucher au rabais. Voilà. Nous ne vous disons pas de les recevoir à coups de fusil, mais, quand ce sera le moment de causer et de se défendre, il faudra nous soutenir, hé !... Qu'ils sentent qu'au besoin ça ne se passera pas comme ça. Et montrez-vous dignes. A leur arrivée, un silence plein de réserve, pour ne pas dire gros de menaces. Une population fière et résolue, sûre de ses droits indéfectibles et farouchement attachée à ses traditions. Messieurs, crions tous : « Vive Donogoo-Tonka libre ! » S'ils nous entendent, ça leur serrera le ventre.

Il descend de sa chaise. Le peuple de Donogoo, qui a appuyé ce discours de marques d'approbation diverses, crie : « Vive Donogoo-Tonka libre ! » Soudain il se fait un mouvement dans la foule, en avant d'abord, puis en arrière. Une violente clameur, suivie d'un grand silence. Les pion-

niers de Lamendin paraissent au fond de la scène, en tenue de campagne, la carabine à la main. Ils déblayent rapidement la place et entourent le tertre central. Cris aigus de la foule, sifflets prolongés. Un coup de revolver. Brève bousculade. Lamendin, en uniforme de gouverneur, un stick à la main, saute sur le tertre.

LA FOULE

Les voilà ! les voilà !

SCÈNE III

LAMENDIN, LA FOULE, LE CHEF, JOSEPH

LAMENDIN

Nous nous comprendrons très vite. J'ai une trentaine de millions à dépenser dans les mois qui viennent. Et au besoin d'autres, derrière. Je puis m'en aller à trois kilomètres, ou à vingt, m'installer, bâtir. Rien à débattre avec personne. (*Rumeurs.*) L'or ? Je m'arrangerai pour en trouver. Toujours autant qu'ici. L'essentiel, c'est la réclame, le bluff. Vous savez ce que je peux faire dans ce genre. Si vous êtes ici, c'est moi qui vous y ai envoyés. (*Rumeurs.*) Votre ville, c'est mon prospectus. Si je vais ailleurs, vous n'avez plus qu'à suivre ou qu'à sécher sur place. Et alors les millions, pour d'autres. (*Rumeurs.*) Mais je ne tiens pas à vous ennuyer. Voici mes conditions — dix minutes pour réfléchir : je veux l'autorité absolue. (*Rumeurs.*) Ce soir même, toutes les armes déposées chez moi. Pas d'autres fusils que ceux de mon escorte. Vous me proposerez huit hommes sûrs d'entre vous. Je les examine. J'en fais des policemen, revolver et bâton, sous mes ordres. Pour toutes les contestations, un tribunal de trois. (*Approbations.*) Moi, président. Les terrains régulièrement occupés, je vous les laisse, ou je les achète. Je paie très bien. (*Approbations.*) Mais pas de flibuste, j'ai horreur de ça ! Je paie très bien le travail ; mais pas de rossards. Au fond, vous serez très contents de moi, sauf quelques vauriens. Nous les flanquerons dehors. (*Rumeurs.*) Voilà. Décidez. J'attends encore cinq minutes. (*Un petit silence, puis un brouhaha. Les Donogoïens se consultent, opinent. Puis on entend : « Le Petit Brun ! — Non, Mathieu ! — Mathieu ! Oui ! — Oui ! Mathieu ! » Lamendin attend, flegmatique. Mathieu, poussé par ses voisins, finit par approcher du tertre. Lamendin, courtois.*) Montez, Monsieur. (*La foule se tait. Mathieu hésite un instant, regarde vers la foule dont il cherche l'ap-*

probation.) C'est au nom de tous ces Messieurs que vous parlerez ?

LA FOULE

Oui, oui, oui, oui !

Lamendin s'incline légèrement, attend.

LAMENDIN

Alors ?

LE CHEF, *après avoir encore une fois consulté du regard la foule.*

Alors, ça va, monsieur le gouverneur.

Lamendin s'avance, lui tend la main. La foule se tait.

JOSEPH, *très haut.*

Ou, pour mieux dire, ça pourrait aller plus mal.

Soudain une rumeur naît près d'une porte, se propage et s'articule peu à peu en un cri assez farouche.

LA FOULE

Les femmes ! Les femmes ! Les femmes !

LAMENDIN, *fronçant le sourcil, inquiet, à Mathieu.*

Qu'est-ce que c'est ?

LE CHEF

Le convoi de femmes annoncé, je pense.

LAMENDIN, *d'une voix éclatante et impérieuse.*

Messieurs, que personne ne quitte sa place ! Vous n'allez pas donner un spectacle indigne de vous. De la tenue, Messieurs. L'arrivée de ces femmes ne doit pas provoquer le plus petit désordre. Dites-vous que le gouverneur général connaît vos besoins et saura leur assurer une satisfaction légitime, en tenant compte à la fois du rang d'ancienneté, du principe de l'égalité des droits et des règles de la décence publique. N'avancez pas. Pionniers, maintenez la foule. Messieurs, je compte sur le bon esprit de chacun.

SCÈNE IV

LES MÊMES, LE CONVOI DE FEMMES, *puis* CLIPOTEAUX

Paraît le convoi de femmes. Elles défilent, éreintées et vacillantes sur leurs mulets. La foule des hommes produit une espèce de remous sonore où l'on entend une foison de rires, de bruits de baisers, de petits cris, de miaulements... et quelques cris articulés : « Poulette ! — Mignonne ! — Oh ! là là ! ce fond de magasin ! » Les Femmes, brusquement tirées de leur torpeur par cet accueil, se redressent sur leurs mulets et, tout en défilant, vomissent un flot de quolibets et d'injures avec une promptitude surprenante.

LES FEMMES

Oh ! les affreux !... Ce qu'ils sentent mauvais... Viens voir, Marie, ces gueules de clients ! On reprend le bateau... Les singes ne vous suffisaient donc pas ?... Hé, figure en papier de verre !...

Pour injurier plus à loisir, elles arrêtent leurs mulets. Lamendin est inquiet de la tournure que peuvent prendre les choses. Soudain paraît Clipoteaux.

CLIPOTEAUX, *criant de loin.*

Un radio, monsieur le gouverneur ! (*Il approche.*) Yves Le Trouhadec est élu.

LAMENDIN, *d'une voix tonnante.*

Messieurs, une grande nouvelle que je reçois par radio !... (*La diversion produit son effet. Le bruit diminue. Les têtes se tournent vers l'estrade.*) Yves Le Trouhadec, l'illustre savant qui a découvert Donogoo-Tonka, l'homme providentiel sans lequel aucun de nous ne serait ici, vient d'être élu membre de l'Institut de France. (*Sensation.*) Pavoisez toutes les rues. Vingt salves de mousqueterie seront tirées ce soir sur la place centrale !

DIXIÈME TABLEAU
ÉPILOGUE

LA RÉSIDENCE

Une salle dans le palais de la Résidence.

SCÈNE PREMIÈRE

LAMENDIN, BÉNIN, LESUEUR, BROUDIER,
SERVITEURS, PIONNIERS

Lamendin et les copains sont assis à la table. Ils mangent et boivent.

LAMENDIN

J'ai été prévenu de votre arrivée hier au soir à 18 heures par le poste des Vieux-Murs. Bonne traversée ?

LESUEUR

Très bonne jusqu'à la hauteur de Pernambouc. Ensuite, ça bougeait.

LAMENDIN

Tu crains la mer ?

LESUEUR

Non.

LAMENDIN

Et Bénin ?

BÉNIN

Je ne la crains pas. Mais, à certains moments, elle m'occupe.

LAMENDIN

Quelle impression en arrivant ici ?

LESUEUR

Considérable.

LAMENDIN

Ah ! ah !

BÉNIN

C'est vrai !

LAMENDIN

J'en suis fier.

BÉNIN

Je m'attendais à un lotissement dans la savane. Et c'est presque une grande ville. Quelque chose de rapide et de magnifique qui s'est emparé du sol, comme la joie s'empare d'un visage.

LESUEUR

Même ton palais. L'architecture est un peu bizarre...

LAMENDIN

Nous cherchons un nouveau style colonial...

LESUEUR

Mais gros effet du dehors.

LAMENDIN

Il y a six mois, c'était une butte de rochers avec des arbustes.

BÉNIN

Qui t'a fait les plans de tout ça ?

LAMENDIN

Mes pionniers. La décoration aussi. Le naïf et retors génie de Montparnasse en liberté. Le diable, c'est d'obtenir qu'ils finissent.

BROUDIER

Mais enfin, quand tu es arrivé, il y avait déjà une ville ?

LAMENDIN

On ne sait quoi qui sentait à la fois la région dévastée, le tremblement de terre, le campement de terrassier et la clairière de bûcherons.

BÉNIN

Qui avait fondé ça ?

LAMENDIN

De pauvres bougres à la recherche d'un Donogoo imaginaire qui, un soir, croulant de fatigue, en laissant tomber leur barda sur le sol, avaient créé du coup le Donogoo réel... D'autres, plus tard, les avaient rejoints.

BROUDIER

Et qu'est-ce qu'ils faisaient là ?

LAMENDIN

Ils tâchaient de vivre.

LESUEUR

Ça ne devait pas être commode.

LAMENDIN

Ils avaient apporté des quatre coins du monde de la candeur, de la canaillerie, du hasard et aussi des carabines et des pioches.

BÉNIN

De quoi faire un nouveau monde.

LESUEUR

Comment t'ont-ils reçu ?

LAMENDIN

Quand j'y pense, ils auraient pu me tuer. C'est moi qui les avais envoyés crever ici.

LESUEUR

Et ils ne t'ont pas tué.

LAMENDIN, *montrant le palais.*

Tu vois.

BROUDIER

Les millions de la Compagnie ont dû arranger les choses.

LAMENDIN

Evidemment. Mais, surtout, nous étions faits pour nous comprendre.

BÉNIN

Il n'y avait eu entre vous qu'un malentendu.

LESUEUR

Ils étaient arrivés au rendez-vous avant l'heure.

BROUDIER

Et ils avaient fondé la ville pour passer le temps.

LAMENDIN, *approuve en riant, puis.*

Vous savez que je les aime bien.

BÉNIN

Ils te le rendent. Sur notre passage, j'ai entendu qu'on t'acclamait.

LAMENDIN

C'est maintenant que les vraies difficultés vont commencer.

LESUEUR

Ah ! bah !...

LAMENDIN

Du point de vue gouvernemental. Les nouveaux venus apportent un autre esprit. Je tâche de m'appuyer sur les Fondateurs. Je les couvre d'honneurs et de profits. Mais la population pousse trop vite. (*On entend des rumeurs, des chants.*) Tenez !

LESUEUR

Ce n'est pas une émeute ?

LAMENDIN, *l'arrêtant.*

Chut ! Pas de ces mots-là !... Ça doit être un cortège de l'Armée du Salut... et ceci... oui... je reconnais l'hymne du club des Purs... une bande d'idiots qui viennent me prêcher ici le mépris des richesses. Depuis quelque temps, les sectes pullulent.

BROUDIER

Ça te gêne réellement ?

LAMENDIN

Parbleu ! J'ai besoin de tout contrôler.

BROUDIER

Même les consciences ?

BÉNIN

On est dictateur ou on ne l'est pas.

LAMENDIN, *à Bénin.*

Plus exactement, je suis à mi-chemin entre le

régime patriarcal et la grande dictature moderne... (*A Broudier.*) Le Trouhadec va d'ailleurs me servir.

LESUEUR

A quoi ?

LAMENDIN

Je médite de le transfigurer peu à peu en héros national. (*A Bénin.*) Tu vois cette bâche, là-bas, au milieu de la place ? Sa statue est là-dessous.

BÉNIN

En face de la tour de ciment armé ?

LAMENDIN

A la base de la tour, il y a une espèce de rotonde, comme un petit temple de Vesta, et, à l'intérieur, une statue de femme drapée, avec un modelé discret indiquant que cette femme est enceinte.

BROUDIER

Enceinte ?

LAMENDIN

Oui, perpétuellement enceinte, inépuisablement féconde.

LESUEUR

Que représente-t-elle ?

LAMENDIN

L'Erreur scientifique.

BÉNIN

Tu l'appelles publiquement de ce nom-là ?

LAMENDIN

Chut ! entre intimes. Son nom officiel est la Vérité scientifique.

BÉNIN

D'ailleurs entre la vérité et l'erreur scientifiques, il n'y a jamais eu qu'une différence de date.

LAMENDIN

Lui et elle seront les dieux de la patrie.

Il lève son verre. Ils rient, mangent, boivent.

LESUEUR

Dis donc, à propos de fécondité, je n'ai pas

aperçu beaucoup de femmes dans la rue. Vous en avez combien en tout ?

LAMENDIN

Onze.

LESUEUR *et* LES AUTRES, *sursautant.*

Onze !... Dans toute la ville !

LAMENDIN

Six et cinq. Je devais en recevoir dix-sept nouvelles avant les fêtes, mais le convoi est en retard.

BROUDIER

Ça me semble un peu juste.

LAMENDIN

Nous avons un projet de ville réservée. Le concessionnaire est déjà désigné. C'est un des Fondateurs, un petit gars de Marseille.

BÉNIN, *rêveur.*

Parmi les nouveaux venus, il n'y en a pas qui amènent avec eux leur femme, leur maîtresse ?

LAMENDIN

J'ai dû l'interdire. Pour le bon ordre. Le mariage et même l'union libre ne pourront être tolérés ici que beaucoup plus tard, et avec toutes sortes de précautions.

LESUEUR

Mais, dis donc, au point de vue des mœurs, cette rareté des femmes n'a pas de conséquences... particulières ?

LAMENDIN

Je n'ai pas de statistique, mais j'ai l'impression que le pourcentage doit rester normal. En tout cas, nous sommes certainement au-dessous des milieux littéraires et artistiques de Paris.

LESUEUR

Curieux.

LAMENDIN

Non, ici, la mode n'intervient pas. Et, tu sais, il n'y en a pas énormément qui soient sincères. Nulle part.

BÉNIN

Mais toi, mon vieux ?

LAMENDIN, *vif.*

Moi ?

BÉNIN

Ne te méprends pas. Je veux dire : comment résous-tu personnellement la question féminine ? Si je ne suis pas trop indiscret.

Lamendin semble un peu gêné.

LESUEUR

Tu ne peux pas nous confier ça ?

LAMENDIN

Je suis devenu très chaste. (*S'excusant.*) Les préoccupations du pouvoir... l'exemple à donner... réellement, je n'y pensais plus. Il a fallu qu'on y pense pour moi.

BÉNIN

Comment ça ?

Tous sont fort intéressés.

LAMENDIN, *après avoir regardé alentour et baissant la voix.*

Oui, n'en parlez pas, surtout, ça me créerait des

ennuis : le concessionnaire m'a fait présent d'une petite Indienne tout à fait délicieuse.

BÉNIN

C'est un pot-de-vin, dis donc ?

LAMENDIN

Un pot aux roses, plutôt. (*Il y rêve avec une certaine tendresse.*) Au fond, j'ai eu tort. Je la renverrai. (*Il soupire.*) Elle est d'ailleurs charmante. Une facilité de caractère exquise. Pas l'ombre d'une scène. Pas même de bouderie. Des caprices légers, légers comme une mèche de cheveux sur le cou. (*Les copains font un murmure de ravissement amusé.*) Vous voulez la voir ?

BÉNIN

Très volontiers.

LESUEUR

Sûrement.

LAMENDIN, *à l'un des serviteurs.*

Priez mademoiselle Leïla de venir. (*Le serviteur exécute l'ordre.*) Elle ne s'appelle pas du tout

Leïla. Elle est affublée d'un prénom portugais impossible. Ne l'effarouchez pas.

SCÈNE II

LES MÊMES, LEÏLA, *puis* CLIPOTEAUX
et LE SECRÉTAIRE

LAMENDIN

Bonjour, Leïla, faites votre plus gracieuse révérence à ces Messieurs, qui sont des personnages de France très illustres et de grands amis. (*Aux autres.*) Elle ne comprend en français que les expressions nobles et les expressions amoureuses. (*Il prend la petite sur ses genoux.*) Goûtez de ces confitures, Leïla. (*On entend à nouveau la fanfare de l'Armée du Salut.*) Oh ! encore l'Armée du Salut ! Clipoteaux !

CLIPOTEAUX

Monsieur le gouverneur ?

LAMENDIN

Envoie-moi mon secrétaire. Je vais lui dicter un

décret que tu feras publier aussitôt et appliquer dès aujourd'hui. (*A ses amis.*) Ils verront de quel bois je me chauffe.

Entre le Secrétaire.

BÉNIN

Attention, mon vieux, ne te mets pas mal avec les puissances spirituelles...

LAMENDIN

Sois tranquille. (*Dictant.*) « Les cortèges dans la rue donneront lieu à la perception d'un droit fixe de... (*Il cherche.*) 100 francs et d'un droit proportionnel de 2 francs par tête. » Ce n'est pas cher. « Article 2. — Il est rappelé que le culte de l'Er... » (*Il va se reprendre, mais, vivement, à ses amis.*) Et puis, pourquoi avoir peur des mots ? Est-ce que l'Amérique tout entière n'est pas le produit d'une erreur ?

LESUEUR, *gai.*

Tu es sévère.

LAMENDIN, *à Lesueur.*

C'est de Christophe Colomb que je parle. Cite-moi un type dans l'histoire qui se soit plus fourré dedans que cet homme-là ! Il part pour rejoindre les Indes, il va se cogner le nez sur l'Amérique. Il dit, répète, comme un butor qu'il est : « Nous voilà arrivés aux Indes. » Et il n'a jamais voulu en démordre. Il ne s'était trompé que de la moitié de la terre, simplement. Quand je pense aux histoires qu'on a faites à Le Trouhadec !... Donc, allons-y ! (*Il se remet à dicter.*) « Le culte de l'Erreur scientifique est obligatoire pour tous les citoyens et doit trouver place dans les cérémonies de toutes les sectes. »

BROUDIER

Mais si c'est contraire à leurs doctrines ?

LAMENDIN

Ils se débrouilleront. Je veux un minimum d'unité morale. (*Au Secrétaire.*) Merci.

BÉNIN

Il y a une question que j'ai envie de te faire depuis le début, mais je n'ose pas.

LAMENDIN

Quelle question ?

BÉNIN

L'or ?...

LAMENDIN, *lâchant Leïla.*

Plaît-il ?

BÉNIN

Oui, comment t'arranges-tu de ce côté-là ?

LAMENDIN

Tu veux dire ?... (*A Leïla.*) Retournez à votre chambre, Leïla.

Il la fait sortir.

BÉNIN

Ces milliers d'hommes, les murs qui poussent, la tour, le club des Purs, même le convoi de femmes que tu attends et ce palais où tu nous accueilles, tout ça n'existe qu'en fonction de quelque chose... (*Bas.*) Qu'ils y aient cru de loin, j'admets, mais maintenant qu'ils sont là, sur place, qu'ils peuvent constater...

LAMENDIN, *à mi-voix.*

Vous vous rappelez cet avocat qui se faisait fort

de trouver de l'arsenic dans le fauteuil du président ? (*Un temps.*) Nous employons ici l'outillage le plus moderne, les dragueuses-trieuses Throgmorton.

BÉNIN

Eh bien ?

LAMENDIN

Es-tu sûr qu'avec une dragueuse-trieuse Throgmorton tu ne trouverais pas de l'or dans le parc Montsouris ?

BÉNIN

Pas beaucoup.

LAMENDIN

Mon vieux, tu n'as pas assez médité sur la nature de l'activité humaine. Moi-même, il n'y a pas longtemps que je commence à y voir clair... Ça a toujours été vrai. Mais ce l'est bien plus dans le monde moderne, parce que le monde moderne s'agite bien plus que l'ancien et a encore bien moins le temps de réfléchir. Ce qu'il faut à l'activité moderne, c'est un prétexte : une source thermale, un casino avec des salles de roulette, une ou deux apparitions miraculeuses... Du moment que les gens affluent, que les affaires ronflent, qu'un pays nouveau se développe... personne ne vous demande formellement de guérir les maux d'estomac, de faire gambader les paralytiques ou d'extraire des pépites grosses comme l'orteil. Quand ça se produit, c'est par-dessus le marché. (*Il se lève.*) Mais évitons de nous appesantir. Il y a un moyen de résoudre les problèmes : c'est de ne pas les voir. Et, pour achever de rassurer les âmes, on leur flanque au bon moment des cortèges, des discours par haut-parleur, des symboles et des cérémonies. Venez, Messieurs, je vais vous montrer ce que nous essayons de faire dans ce genre. C'est encore peu de chose. Je n'ai pas, malgré tout, les ressources de l'Etat de New York. (*Allant vers Bénin.*) Tu sais, Bénin, que je compte mettre ton éloquence à contribution.

BÉNIN, *inquiet.*

Quand ça ?

LAMENDIN

Les occasions ne manqueront pas.

BÉNIN

Devant qui ?

LAMENDIN, *large.*

Devant mon peuple.

BÉNIN, *protestant.*

Mais que veux-tu que je leur raconte ?

LAMENDIN

N'importe quoi... sauf la vérité... proprement dite.

BÉNIN

Et sur quel ton ?

LAMENDIN

Tous, sauf l'ironie. L'ironie est en retard sur l'avion. Elle n'a pas encore traversé l'océan. (*Tandis qu'ils sortent.*) D'ailleurs, ne te tourmente pas. Si, par hasard, ils avaient envie de comprendre, je ferais faire assez de bruit pour les en empêcher. (*Ils font deux pas. Bénin s'arrête, regarde l'horizon.*) Que regardes-tu, mon vieux Bénin ? Ma tour ? Elle ne t'inspire pas confiance ?

Les autres sont déjà sortis. Lamendin et Bénin restent seuls.

BÉNIN

Ce n'est pas ça que je regarde.

LAMENDIN

Quoi ? La ville elle-même ? Dire que si tu restais là six heures de suite, tu la verrais grandir !

BÉNIN

Non. Je regarde plus loin.

LAMENDIN

L'horizon ? Ce qui reste de la forêt ?

BÉNIN

Beaucoup plus loin. Le pont de la Moselle... Je sens venir le vent chargé de caroubes et d'usines à gaz. Là-bas, le canal dont je t'ai sorti.

LAMENDIN

Je n'y étais pas encore.

BÉNIN

C'était tout comme. Je me vois, à vingt mètres de haut, te tirant du fond de son abîme couleur d'absinthe. Je t'ai déposé sur la berge comme un chien mouillé, toi, le futur conquérant de ce territoire, toi qui, maintenant, dans ton palais, dictes une religion à ton peuple en caressant une belle captive qui pèse à peine sur tes genoux.

LAMENDIN

Tu veux me dégriser, Bénin ?

BÉNIN, *vivement*.

Non, certes !

LAMENDIN

Me rappeler à la modestie de mes origines ?

BÉNIN

Te griser davantage, au contraire. Nous griser ensemble par un mélange de visions. Je voudrais pouvoir mettre dans nos verres les ports, les navires, la forêt, l'océan intermédiaire, faire tourner toutes les raisons miraculeuses de notre présence, avec même un bout de cordage qui tremperait dedans, et l'image, tremblotant dessus, de Miguel Rufisque, comme sur l'eau du bol que magnétise un sorcier.

LAMENDIN

Miguel Rufisque... C'est vrai, je suis ingrat pour cet homme. (*Un temps.*) Je donnerai son nom à une avenue.

Rideau.

PREMIÈRE PARTIE

DEUXIÈME PARTIE

ŒUVRES DE JULES ROMAINS

Œuvres poétiques

LA VIE UNANIME (N.R.F.).
UN ÊTRE EN MARCHE (Mercure de France).
ODES ET PRIÈRES (N.R.F.).
EUROPE (N.R.F.).
LE VOYAGE DES AMANTS (N.R.F.).
CHANTS DES DIX ANNÉES (N.R.F.).
L'HOMME BLANC (Flammarion).
PIERRES LEVÉES, *suivi de* MAISONS (Flammarion).
CHOIX DE POÈMES (N.R.F.).

Romans et contes

LE VIN BLANC DE LA VILLETTE (N.R.F.).
LE BOURG RÉGÉNÉRÉ (N.R.F.).
MORT DE QUELQU'UN (N.R.F.).
LES COPAINS (N.R.F.).
DONOGOO-TONKA (N.R.F.).
PSYCHÉ : LUCIENNE (N.R.F.).
— LE DIEU DES CORPS (N.R.F.).
— QUAND LE NAVIRE... (N.R.F.).
LES HOMMES DE BONNE VOLONTÉ (vingt-sept volumes) (Flammarion).
LES HOMMES DE BONNE VOLONTÉ (édition intégrale en quatre volumes) (Flammarion).
BERTRAND DE GANGES (Flammarion).
LE MOULIN ET L'HOSPICE (Flammarion).
VIOLATION DE FRONTIÈRES (Flammarion).
VERDUN (Flammarion).
LE FILS DE JERPHANION (Flammarion).
UNE FEMME SINGULIÈRE (Flammarion).
LE BESOIN DE VOIR CLAIR (Flammarion).
MÉMOIRES DE MADAME CHAUVEREL (2 vol.) (Flammarion).
UN GRAND HONNÊTE HOMME (Flammarion).
PORTRAITS D'INCONNUS (Flammarion).

Théâtre

CROMEDEYRE-LE-VIEIL (N.R.F.).
M. LE TROUHADEC SAISI PAR LA DÉBAUCHE (N.R.F.).
KNOCK (N.R.F.).

Théâtre (suite)

LE MARIAGE DE LE TROUHADEC (N. R. F.).
LE DICTATEUR (N. R. F.).
JEAN LE MAUFRANC (N. R. F.).
MUSSE (N. R. F.).
VOLPONE (en coll. avec Stefan Zweig) (N. R. F.).
DONOGOO (N. R. F.).
BOËN (N. R. F.).
GRACE ENCORE POUR LA TERRE ! (N. R. F.).
PIÈCES EN UN ACTE (N. R. F.).

Essais

PUISSANCES DE PARIS (N. R. F.).
LA VÉRITÉ EN BOUTEILLES (Trémois).
PROBLÈMES EUROPÉENS (Flammarion).
VISITE AUX AMÉRICAINS (Flammarion).
POUR L'ESPRIT ET LA LIBERTÉ (N. R. F.).
LE COUPLE FRANCE-ALLEMAGNE (Flammarion).
CELA DÉPEND DE VOUS (Flammarion).
SEPT MYSTÈRES DU DESTIN DE L'EUROPE (Ed. de la Maison Française).
UNE VUE DES CHOSES (Ed. de la Maison Française).
RETROUVER LA FOI (Flammarion).
LE PROBLÈME N° 1 (Plon).
SALSETTE DÉCOUVRE L'AMÉRIQUE, *suivi de* LETTRES DE SALSETTE (Flammarion).
SAINTS DE NOTRE CALENDRIER (Flammarion).
INTERVIEWS AVEC DIEU (Flammarion).
EXAMEN DE CONSCIENCE DES FRANÇAIS (Flammarion).
PASSAGERS DE CETTE PLANÈTE, OU ALLONS-NOUS ? (Grasset).
SOUVENIRS ET CONFIDENCES D'UN ÉCRIVAIN (Arthème Fayard).
SITUATION DE LA TERRE (Flammarion).
HOMMES, MÉDECINS, MACHINES (Flammarion).
LES HAUTS ET LES BAS DE LA LIBERTÉ (Flammarion).
POUR RAISON GARDER, tomes I et II (Flammarion).
NAPOLÉON PAR LUI-MÊME (Librairie Académique Perrin).
PARIS DES HOMMES DE BONNE VOLONTÉ (avec ill. et plans) (Flammarion).

En collaboration avec André Bourin :

CONNAISSANCE DE JULES ROMAINS (Flammarion).

ACHEVÉ D'IMPRIMER
EN SEPTEMBRE 1963 PAR
EMMANUEL GREVIN et FILS
A LAGNY-SUR-MARNE

Dépôt légal : 4e trimestre 1950.
No d'Éd. : 9783. — No d'Imp. : 7353.

Imprimé en France.